IL LIBRO DELLE BESTIE

RUDYARD KIPLING

© 2023 Culturea Editions

Texte et illustration de couverture : © domaine public
Edition : Culturea (Hérault, 34)
Contact : infos@culturea.fr
Retrouvez notre catalogue sur http://culturea.fr
Imprimé en Allemagne par Books on Demand
Design typographique : Derek Murphy
Layout : Reedsy (https://reedsy.com/)

Dépôt légal : janvier 2023
Tous droits réservés pour tous pays

ISBN : 9791041844043

LA GOLA DELLA BALENA

Una volta c'era nel mare una balena che mangiava i pesci. Mangiava il carpione e lo storione, il nasello e il pesce martello, il branzino e il delfino, i calamaretti e i gamberetti, la triglia e la conchiglia, e la flessuosa anguilla con sua figlia e tutta la sua famiglia con la coda a ronciglio. Tutti i pesci che poteva trovare in tutto il mare, essa li mangiava con la bocca.... così! Tanto che non era rimasto in tutto il mare che un solo pesciolino, un Pesciolino-pieno-d'astuzia che nuotava dietro l'orecchio destro della balena, per tenersi prudentemente fuor di tiro.

Allora la balena si levò ritta sulla coda e disse:

– Ho fame. –

E il Pesciolino-pieno-d'astuzia disse con una vocina parimenti piena d'astuzia:

– Nobile e generoso cetaceo, hai mai mangiato l'uomo? –

– No, – disse la balena. – Com'è?

– Squisito! – disse il pesciolino-pieno-d'astuzia: – squisito ma nodoso.

– Allora portamene un paio, – disse la balena, e con la coda fece spumeggiare il mare.

– Uno per volta basta, – disse il Pesciolino.pieno.d'astuzia. – Se tu nuoti fino al cinquantesimo grado di latitudine nord e quaranta di longitudine ovest, (questo è magìa) troverai, seduto su una zattera, in mezzo al mare, con nulla addosso eccetto un paio di calzoni di tela azzurra, un paio di bretelle (non dovete dimenticare le bretelle, cari miei,) e un coltello da tasca, un marinaio naufragato, che – è bene tu ne sii avvertito – è un uomo d'infinite- risorse- e sagacità.

Così la balena nuotò e nuotò fino al grado cinquantesimo di latitudine nord e quarantesimo di longitudine ovest, più rapidamente che potè, e su una zattera, in mezzo al mare, con nulla indosso eccetto un paio di calzoni di tela azzurra, un paio di bretelle (dovete ricordare specialmente le bretelle, cari miei) e un coltello da tasca, essa vide un unico e solitario marinaio naufragato, coi piedi penzoloni nell'acqua. (Egli aveva avuto da sua madre il permesso di guazzare nell'acqua; altrimenti non l'avrebbe fatto, perchè era un uomo d'infinite-risorse-e-sagacità).

Allora la balena aprì la bocca e la spalancò che quasi si toccava la coda, e inghiottì il marinaio naufragato, con tutta la zattera su cui sedeva, col suo paio di calzoni di tela azzurra, le bretelle (che non dovete dimenticare) e il coltello da tasca. Essa inghiottì ogni cosa nella credenza calda e buia dello stomaco, e poi si leccò le labbra.... così, e girò tre volte sulla coda.

Ma il marinaio, che era un uomo di infinite-risorse-e-sagacità, non appena si trovò nel capace e buio stomaco della balena, inciampò e saltò, urtò e calciò, schiamazzò e ballò, urlò e folleggiò, picchiò e morsicò, strisciò e grattò, scivolò e passeggiò, s'inginocchiò e s'alzò, strepitò e sospirò, s'insinuò e gironzò, e danzò balli alla marinara dove non doveva, e la balena si sentì veramente molto infelice. (Avete dimenticato le bretelle?)

Così disse al Pesciolino-pieno-d'astuzia:

– Quest'uomo è molto indigesto, e mi fa venire il singulto. Che cosa debbo fare?

– Digli di uscire, – disse il Pesciolino-pieno-d'astuzia.

Così la balena gridò dal fondo della gola al marinaio naufragato:

– Esci fuori e comportati onestamente. M'hai messo il singulto.

– No!, no! – disse il marinaio. – Non così; in maniera molto diversa. Portami alla sponda natìa, ai bianchi scogli di Albione, e ci penserò.

E continuò a ballare più che mai.

– Faresti meglio a portarlo a casa – disse il Pesciolino-pieno-d'astuzia alla balena. – Io ti ho avvertito che è un uomo di infinite-risorse-e-sagacità.

Così la balena si mise a nuotare, a nuotare con le due natatoie e la coda, come meglio le permetteva il singulto; e finalmente vide la sponda nativa del marinaio e i bianchi scogli di Albione, si precipitò sulla spiaggia, spalancò tutta quanta la bocca e disse:

– Per Winchester, Ashuelot, Nasua, Keene e le stazioni della ferrovia di Fitchburg si cambia.

E mentre diceva "Fitch" il marinaio sbucava dalla bocca. Ma mentre la balena era stata occupata a nuotare, il marinaio, che era davvero una persona piena-di-infinite-risorse-e-sagacità, aveva preso un coltello da tasca e tagliata dalla zattera una cancellata a sbarre incrociate,

l'aveva saldamente legata con le bretelle (ora sapete perchè non si dovevano dimenticare le bretelle) e poi l'aveva incastrata nella gola della balena, recitando il seguente distico, che, siccome non lo conoscete, qui vi trascrivo:

Con le sbarre della grata

nel mangiar t'ho moderata.

E saltò sulla ghiaia, e si diresse a casa della mamma, che gli aveva dato il permesso di guazzare nell'acqua; e s'ammogliò e d'allora in poi visse felicemente. Com'anche la balena.

Ma da quel giorno ad oggi, la grata in gola che essa non può nè espellere, nè inghiottire, le impedì di mangiar tutto quello che voleva, eccetto i minuti pesciolini, ed è questa la ragione perchè le balene non mangiano più uomini, bambine e bambini.

Il Pesciolino pieno d'astuzia se la svignò e si nascose sotto la soglia dell'Equatore. Temeva che la balena fosse grandemente adirata con lui. Il marinaio portò a casa il coltello da tasca. Aveva indosso soltanto il paio di calzoni di tela azzurra quando s'era messo a camminare sulla ghiaia. Le bretelle l'aveva lasciate strette alla cancellata; e questa è la fine di questo racconto.

LA GOBBA DEL CAMMELLO

Nel principio degli anni, quando il mondo era ancora nuovo nuovo, e gli animali cominciavano appena a lavorar per l'uomo, vi era un cammello, che viveva in mezzo a un grande deserto, perchè non voleva lavorare; un cammello che, straordinariamente pigro, mangiava stecchi e spine e tamarischi e bacche ed erbacce; e quando qualcuno gli parlava, diceva:

– Ob! – per esprimere un ohibò di disprezzo.

Proprio: "Ob!" e niente altro.

Ora il cavallo andò da lui un lunedì mattina, con una sella sul dorso e un morso in bocca, e gli disse: – Cammello, o cammello, esci e trotta come facciamo noi.

– Ob! – disse il cammello. E il cavallo andò via a raccontarlo all'uomo.

Andò poi da lui il cane, con una mazza in bocca, e gli disse: – Cammello, o cammello, vieni a cacciare e a portare in bocca come faccio io.

– Ob! – disse il cammello. E il cane andò via a raccontarlo all'uomo.

Andò poi da lui il bue, col giogo sul collo e gli disse: – Cammello, o cammello, vieni ad arar come faccio io.

– Ob! – disse il cammello. E il bue andò via a raccontarlo all'uomo.

Alla fine del giorno, l'uomo chiamò il cavallo e il cane e il bue insieme e disse:

– Tre, o tre, mi dispiace per voi (col mondo ancora così nuovo); ma quell'Ob nel deserto non sa lavorare; se no, ora sarebbe qui. Così io sto per lasciarlo solo; e voi dovete lavorare il doppio per far quello che non fa lui.

Allora i tre si adirarono molto (col mondo così nuovo) e tennero una conferenza e una discussione sul confine del deserto: e il cammello venne, ruminando tamarischi, incredibilmente pigro, a deriderli. Egli disse: – Ob! – E scappò.

Ora venne il Genio incaricato di tutti i deserti, rotolando in una nuvola di polvere, (i Geni viaggiano sempre a quel modo per incantesimo) e si fermò a discutere coi tre.

– Genio di tutti i deserti, – disse il cavallo, – ha qualcuno il diritto di essere ancora così pigro, col mondo così nuovo?

– Certamente no, – disse il Genio.

– Ebbene, – disse il cavallo, – v'è un tale in mezzo al deserto, col collo lungo e le gambe lunghe, che non ha fatto un centimetro di lavoro da lunedì mattina. Egli non vuole trottare.

– Ah! – disse il Genio fischiando.– È il cammello, per tutto l'oro d'Arabia! E lui, che dice?

– Lui dice Ob! – disse il cane; – e non vuole cacciare e portare.

– E non altro?

– Soltanto Ob!; e non vuole arare, – disse il bue.

– Benissimo, disse il Genio. – Se avete la pazienza d'aspettare un minuto, vedrete che cosa gli toccherà. Metterà la gobba!

Il Genio si avvolse nel suo mantello di polvere, e prese la giusta direzione attraverso il deserto, e trovò il cammello incredibilmente pigro, occupato a guardar le sue riflessioni in una pozza di acqua.

– Lungo e gorgogliante amico, – disse il Genio. – Che mi fai sentire, che non lavori, col mondo ancora così nuovo?

– Ob! – disse il cammello.

Il Genio sedette in terra, col mento nella mano, e cominciò a pensare a un grande incantesimo, mentre il cammello guardava le proprie riflessioni nella pozza d'acqua.

– Tu hai dato ai tre un lavoro maggiore da lunedì mattina, a cagione della tua incredibile pigrizia, – disse il Genio; e continuò a pensare all'incantesimo col mento nella mano.

– Ob! – disse il cammello.

– Se fossi in te, non lo direi un'altra volta, – disse il Genio. – Caro mio, bisogna che tu lavori.

E il cammello disse: – Ob! Ma l'aveva detto appena che la schiena, della quale andava così orgoglioso, cominciò a gonfiarsi e a diventare una solenne gobba.

– Vedi questa? – disse il Genio: – questa è il tuo stesso "Ob" e te lo sei fabbricato con la pigrizia. Oggi è giovedì, e tu non lavori da lunedì, quando il lavoro è incominciato. Ora va a lavorare.

– Come posso andarci, – disse il cammello, – con questo "Ob" sulla schiena?

– Fu fatto a bella posta, – disse il Genio – appunto perchè hai mancato tre giorni. Tu puoi lavorare ora per tre giorni senza mangiare, perchè potrai vivere sul tuo Ob; e non dire che io non abbia fatto nulla per te. Esci dal deserto e va dai tre, e comportati da galantuomo. E di' "Ob" a te stesso.

Il cammello disse: "Ob" a sè stesso, e si mosse a raggiungere i tre.

E da quel giorno a oggi il cammello sempre porta l'"Ob" (noi lo chiamiamo gobba, ora, per non ferire i suoi sentimenti); e non s'è rifatto mai dei tre giorni perduti nel principio del mondo; e ancora non ha imparato a comportarsi come si conviene.

LA PELLE DEL RINOCERONTE

Viveva una volta su un'isola deserta delle sponde del Mar Rosso, un Persiano con un berretto che rifletteva i raggi del sole con splendore più che orientale. E il Persiano se ne stava vicino al Mar Rosso con nient'altro che il cappello, il coltello e un fornello di quelli che voi non dovete toccare per non scottarvi. Un giorno prese farina e acqua e uva passa e ribes e zucchero, e altre leccornie, e si fece un panettone che era un metro alto e due metri lungo. Era davvero un Commestibile Sopraffino, ed egli lo mise nel fornello, perchè gli era permesso di adoperarlo, e lo fece cuocere a punto, finchè non fu tutto bruno e non odorò con molto sentimento. Ma quando stava per mangiarlo, ecco che sulla spiaggia dall'Interno, Interamente Disabitato, apparve un Rinoceronte con un corno sul naso, due occhi da porco, e poche maniere. In quei giorni la pelle del Rinoceronte era tutta attillata; non aveva pieghe e rughe in nessuna parte: egli aveva l'aspetto preciso di un Rinoceronte dell'Arca di Noè; soltanto era molto più grosso. A ogni modo egli non aveva maniere allora, non ne ha ora e non ne avrà mai. Egli urlò: "Come?" e il Persiano abbandonò il panettone e s'arrampicò sulla cima d'una palma con niente altro che il berretto, dal quale i raggi del sole erano sempre riflessi con splendore più che orientale. E il Rinoceronte rovesciò il fornello col naso, e il panettone rotolò sulla sabbia: quindi egli infisse il panettone nel corno che ha sul naso, e se lo mangiò, e se n'andò agitando la coda, nell'Interno Assolutamente Desolato e Disabitato, che mena alle isole di Mazanderan, Socotra e i promontori del maggiore Equinozio. Allora il Persiano discese dalla palma e si mise il fornello sulle gambe e recitò il seguente "sloka" che, se non lo sapete, mi faccio un dovere di riferirvi:

«A chi prende il panettone

di persiana imbandigione

venga male nel groppone».

E ve n'era più di quanto possiate immaginare.

Perchè cinque settimane dopo scoppiò un gran caldo nel Mar Rosso, e tutti si spogliarono degli abiti che indossavano. Il Persiano si tolse il cappello; il Rinoceronte si spogliò della pelle e se la mise sulle spalle, andando alla spiaggia a farsi un bagno. Allora la pelle s'abbottonava al di sotto con tre bottoni e pareva un paletot. Egli non disse nulla del panettone del Persiano, perchè se l'era mangiato tutto e non aveva allora maniere, non ne ha ora e non ne avrà mai. Avanzò dritto nell'acqua e sollevò delle bolle col naso, e la pelle l'aveva lasciata sulla spiaggia.

Allora il Persiano s'avvicinò e trovò la pelle e rise d'un riso che gli corse due volte intorno alla faccia. Poi ballò tre volte intorno alla pelle e si fregò le mani. Poi andò al suo campo, e là si riempì il cappello di briciole di panettone, perchè il Persiano non mangiava altro che panettone, e non spazzava mai il suo campo. Poi prese

la pelle del Rinoceronte e la scosse e la fregò e la soffregò, e poi la empì il più che potè di briciole di panettone, vecchie, secche, stantie e solleticanti e d'un po' d'uva passa bruciata. Quindi s'arrampicò in vetta alla palma, e aspettò che il Rinoceronte uscisse dall'acqua per rimettersi la pelle.

E il Rinoceronte uscì e si rimise la pelle, se l'abbottonò coi tre bottoni, e si sentì un forte prurito come avviene con le briciole di panettone a letto. Allora volle grattarsi; ma fu peggio; e quindi si sdraiò sulla sabbia, e si rotolò e si rotolò, e più si rotolava, e più le briciole di panettone gli davano prurito.

Allora corse alla palma, e si sfregò e si sfregò e si sfregò contro il tronco. E si sfregò tanto e così forte, che gli si fece una gran piega sulla spalla e un'altra al disotto, dov'erano i bottoni, che già erano saltati, e si fece delle altre pieghe sulle gambe. E si guastò il carattere; ma questo fu perfettamente indifferente per le briciole di panettone, che erano rimaste sotto la pelle e gli davano prurito. Così egli se n'andò a casa, tristo, iroso e orribilmente graffiato. E da quel giorno a oggi ogni Rinoceronte ha un gran brutto carattere e grandi pieghe alla pelle, per le briciole di panettone che gli fan prurito.

Ma il Persiano discese dalla palma, portando il berretto, da cui i raggi del sole erano riflessi con splendore più che orientale, fece un pacco del suo fornello e se n'andò nella direzione di Orotavo, Arnygdala, gli altipiani di Anandarivo e le paludi di Senafet.

LE MACCHIE DEL LEOPARDO

In principio del tempo, il Leopardo viveva in un luogo chiamato l'Alto Veldt. Notare che non era il basso Veldt o il boscoso Veldt o l'agro Veldt, ma l'alto Veldt, assolutamente nudo, rovente e lucente, dove non c'eran che sabbia e rocce color di sabbia e unicamente ciuffi di erba gialliccia color di sabbia. Vi abitavano la Giraffa e la Zebra e l'Antilope e il Koodoo e l'Hartbeest, ed erano dalla testa alla punta della coda d'un bruno gialliccio color di sabbia; ma il più bruno gialliccio color di sabbia fra tutti era veramente il Leopardo, una specie di bestia grigio-gialliccio somigliante a un gatto, che s'appaiava a meraviglia col color bruno grigio, gialliccio dell'Alto Veld. E questo era molto grave per la Giraffa, la Zebra e tutti gli altri animali, perchè egli usava acquattarsi dietro una pietra o tra i ciuffi d'erba bruna, grigio-gialliccia, e di lì assaltava la Giraffa o la Zebra o l'Antilope o il Koodoo o il BusleBuck o il Ponte Buck che erravano in quei paraggi. V'era pure un Etiope con archi e frecce (un uomo allora di un color grigio-bruno gialliccio) che abitava sull'alto Veldt col Leopardo; e i due andavano insieme a caccia, l'Etiope coi suoi archi e le sue frecce, e il Leopardo semplicemente con le sue zanne e i suoi artigli; finchè la Giraffa e l'Antilope e il Koodoo e l'Asino selvaggio non sapevano più dove dar di capo. Veramente non lo sapevano!

Dopo molto tempo – gli animali vivevano a lungo, allora – essi impararono a sfuggire ogni cosa che sembrasse un Leopardo o un Etiope; e ad uno ad uno – cominciò la Giraffa che aveva le gambe lunghissime – se n'andarono dall'Alto Veldt. Corsero giorni e giorni finchè non giunsero a una grande foresta foltissima d'alberi e di cespugli e di ombre maculate, punteggiate, striate, e vi si nascosero; e dopo molt'altro tempo, con lo star un po' all'ombra e un po' fuori e con lo svariar delle ombre degli alberi su di loro, la Giraffa diventò macchiata, la Zebra strisciata e l'Antilope e il Koodoo diventarono più scuri, con piccole, grige linee ondeggianti sul loro dorso, come la scorza degli alberi; e così, sebbene si sentissero e se ne avvertisse l'odore, di rado erano scorti, e soltanto quando si sapeva precisamente dove guardare. Furono per loro bei tempi nell'ombre varie e cangianti della foresta, mentre il Leopardo e l'Etiope correvano fuori per tutto il grigio, gialliccio e assolutamente rossiccio Alto Veldt, domandandosi dove mai fossero andate a finire le loro belle colazioni, i loro magnifici desinari, le loro saporite merendine. Finalmente sentirono tanta fame, il Leopardo e l'Etiope, che mangiarono topi e scarafaggi e conigli delle rocce, ed ebbero un grosso mal di pancia, tutti e due; e poi incontrarono Baviaan – il babbuino dalla testa di cane, che abbaia come un cane, e che è Indubbiamente-il-più-Sapiente-Animale-d-itutta-l'Africa-Meridionale.

Disse il Leopardo a Baviaan (era un giorno di feroce canicola): – Dove diamine è andata tutta la caccia? –

E Baviaan strizzò l'occhio. Egli lo sapeva.

Disse l'Etiope a Baviaan: – Sai dirmi il presente abitato della Fauna aborigena? – (Questo ha appunto lo stesso significato, ma l'Etiope usava sempre parole difficili... Era adulto).

E Baviaan strizzò l'occhio. Egli lo sapeva.

Allora disse Baviaan: – La caccia ha cercato altre macchie; e il mio modesto parere, Leopardo, è che ti cerchi altre macchie anche tu, al più presto...

E l'Etiope disse: – Ciò che dici è molto bello, ma io desidero sapere dove abbia emigrato la Fauna aborigena.

Allora disse Baviaan: – La Fauna aborigena s'è congiunta alla Flora aborigena perchè finalmente era tempo di cambiare, e il mio modesto parere, Etiope, è che cambi anche tu al più presto.

Il Leopardo e l'Etiope rimasero alquanto impacciati, ma si misero in viaggio per cercare la Flora aborigena, e a un tratto, dopo tanti e tanti giorni, videro una grande, alta, immensa foresta piena di tronchi d'albero, tutta punteggiata, macchiata, macchiettata, segnata, rigata, traversata e incrociata d'ombre. (Dite questo con grande rapidità ad alta voce, e vedrete quanto la foresta doveva essere ombrosa).

– Che cos'è mai qui? – disse il Leopardo. – Così scuro e pure così pieno di pezzettini di luce?

– Non so – disse l'Etiope – ma dovrebbe essere la Flora aborigena. Io posso odorar la Giraffa e posso udir la Giraffa; ma non posso veder la Giraffa.

– Curioso! – disse il Leopardo. – Forse perchè siamo entrati qui dopo esser stati al sole. Io posso odorar la Zebra, io posso udire la Zebra, ma non posso veder la Zebra.

– Aspetta un momento, – disse l'Etiope. – È da tanto tempo che non le abbiamo cacciate più. Forse non ricordiamo più come sono fatte.

– Ma no, – disse il Leopardo. – Le ricordo perfettamente, nell'Alto Veldt, specialmente le loro ossa col midollo. La Giraffa è alta circa cinque metri, d'un fulvo giallo d'oro dalla testa ai piedi; e la Zebra è alta circa un metro e mezzo e di color grigio-bigio dalla testa ai piedi.

– Ehm! – fece l'Etiope, guardando nelle ombre mobili della Flora aborigena. – Allora in questa oscurità dovrebbero spiccare come banane mature su una cappa fuligginosa.

Ma esse non spiccavano. Il Leopardo e l'Etiope andarono tutto il giorno a caccia, e sebbene le udissero e ne sentissero l'odore, non le videro affatto.

– Per l'amor di Dio, – disse il Leopardo, all'ora della merenda: – aspettiamo fino a stasera. Questa caccia alla luce del giorno è una vera sconvenienza.

Aspettarono finchè non fu buio, e allora il Leopardo sentì un non so che soffiare rumorosamente alla luce delle stelle che filtrava a strisce a traverso i rami, e diede un balzo contro quel soffio. Quel non so che odorava di Zebra, dava una sensazione di Zebra, e quando egli lo fece stramazzare, dava dei calci come una Zebra, ma non si vedeva. Così egli disse:

– Sta ferma, persona senza forma. Io starò a sedere sulla tua testa fino a domani mattina, perchè v'è qualche cosa in te che io non capisco.

A un tratto egli udì un grugnito e uno scroscio e una lotta, e l'Etiope esclamò: – Ho acchiappato una cosa che non veggo. Odora di Giraffa, e dà dei calci come una Giraffa, ma non ha alcuna forma!

– Non ti fidare! – disse il Leopardo. – Statti sulla sua testa fino a domani, come me. Nulla qui par che abbia forma.

Così i due stettero pesantemente seduti su qualche cosa fino all'alba, e allora il Leopardo disse:

– Che hai all'estremità della tua mensa, Fratello?

L'Etiope si grattò la testa e disse:

– Dovrebbe essere assolutamente d'un ricco giallo d'oro dalla testa ai piedi, e dovrebbe essere la Giraffa; ma è coperta tutta di macchie color marrone. Che hai all'estremità della tua mensa, Fratello?

E il Leopardo si grattò la testa e disse:

– Dovrebbe essere assolutamente d'un delicato grigioperla, e dovrebbe essere una Zebra; ma è tutta quanta coperta di strisce nere e viola. Che diamine mai t'è accaduto, o Zebra? Non sai che se fossimo nell'Alto Veldt, ti vedrei da dieci miglia lontano? Tu non hai nessuna forma.

– Sì, – disse la Zebra; – ma qui non è l'Alto Veldt. Non ci vedi?

– Adesso sì, – disse il Leopardo. – Ma ieri no. Come si spiega?

– Alziamoci, – disse la Zebra, – e lo saprai.

Essi lasciarono alzare la Giraffa e la Zebra: questa si diresse a una macchia di piccoli arbusti dove la luce del sole filtrava a strisce; e quella verso un folto di alti alberi dove le ombre cadevano tutte macchiettate.

– Ora guardate – dissero la Zebra e la Giraffa. – Ecco come si fa... Uno... due... tre... E la vostra colazione è sparita!

Il Leopardo spalancò gli occhi, e l'Etiope spalancò gli occhi; ma non poterono veder altro nella foresta che ombre rigate e ombre maculate, ma non una sola traccia della Zebra e della Giraffa, che se l'erano svignata per nascondersi nella foresta oscura.

– Ih! Ih! – disse l'Etiope. – È un mirabile tiro! Che ci serva da lezione, Leopardo. Tu spicchi in questo luogo oscuro come un pezzo di sapone in un secchio di carboni.

– Oh! oh! – disse il Leopardo – Ti sorprenderebbe apprender che tu in questo luogo oscuro, spicchi come un senapismo su un sacco di carboni.

– Sì ma col darci dei nomi ingiuriosi non si fa colazione – disse l'Etiope. – Il fatto sta che non ci accordiamo affatto con ciò che ci sta d'intorno. Io voglio seguire il consiglio di Baviaan. Egli mi raccomandò di cambiarmi; e siccome non ho da cambiarmi altro che la pelle, mi cambierò la pelle.

– E come? – disse il Leopardo, punto da straordinaria curiosità.

– Me la cambierò in un bel brunetto scuro con un po' di pavonazzo e di riflessi azzurri. Sarà quel che ci vorrà per nascondermi negli avvallamenti e dietro gli alberi.

Così si cambiò la pelle in un batter d'occhio, e il Leopardo vi si interessò più che mai: non aveva mai veduto un uomo sbucciarsi così.

– E io che debbo fare? – egli disse, quando l'Etiope ebbe incartocciato l'ultimo mignolo nella sua nuova, bellissima pelle nera.

– Segui anche tu il consiglio di Baviaan. Non ti ha parlato di macchie?

– Altro! – disse il Leopardo. Io cercai delle altre macchie, appena mi fu possibile. E venni in questa macchia con te, e m'ha molto giovato.

– Oh! – disse l'Etiope. – Baviaan non intendeva le macchie del Sud Africa. Egli intendeva le macchie della pelle.

– E a che servono? – disse il Leopardo.

– Pensa alla Giraffa – disse l'Etiope. – E se preferisci le strisce, pensa alla Zebra. Esse trovano che le loro macchie e le loro strisce sono perfettamente soddisfacenti.

– Uhm! – disse il Leopardo. – Non vorrei sembrare una Zebra, neanche per sogno.

– Bene, deciditi, – disse l'Etiope; – perchè non vorrei andare a caccia senza di te; ma dovrei andar solo, se t'ostinassi a somigliare a un girasole accanto a una palizzata incatramata.

– Allora vada –per le macchie; – disse il Leopardo; – ma non farle troppo grosse, chè sarebbe volgare. Non mi piacerebbe di somigliare alla Giraffa, neanche per sogno.

– Te le farò con la punta delle dita, – disse l'Etiope. Di nero sulla mia pelle ce n'è d'avanzo. Vieni qui.

Allora l'Etiope strinse insieme le dita della destra (di nero sulla sua pelle ce n'era d'avanzo) e le andò poggiando a volta a volta per tutto il corpo del Leopardo, e dove le cinque dita toccavano, lasciavano cinque piccoli segni neri, insieme raggruppati. Voi li potete vedere sulla pelle di qualunque Leopardo. A volte, le dita non poggiavano esattamente e i segni venivano irregolari; ma se ora osservate attentamente un Leopardo, vedrete che vi sono sempre cinque macchie fatte dalle cinque dita nere.

– Ora, tu sei veramente una bellezza, – disse l'Etiope. – Ora tu puoi sdraiarti sulla nuda terra e sembrare un mucchio di sassi. Ti puoi sdraiare sulle rocce nude e sembrar un pezzo di roccia. Ti puoi sdraiare su un ramo fronzuto e sembrare luce di sole che filtra a traverso le foglie. Ti puoi sdraiare attraverso un viottolo e non sembrar nulla in particolare. Pensa a questo e fa le fusa!

– Ma se è così, perchè non ti fai delle macchie anche tu? – disse il Leopardo.

– Perchè a un negro sta meglio il semplice nero – disse l'Etiope. – Ora vieni avanti, e vediamo se possiamo riacchiappare il signor Uno-Due-Tre-La-Vostra-Colazione-È-Sparita! – Così essi se n'andarono, e d'allora in poi vissero felicemente. E questo è tutto.

IL PICCOLO ELEFANTE

Nei tempi antichi l'Elefante non aveva proboscide, ma un naso grosso come una scarpa, poco mobile e niente affatto prensile. Ma vi fu un Elefante nuovo – un piccolo d'Elefante – che, pieno d'insaziabile curiosità, faceva continuamente un mondo di domande. E viveva in Africa, e riempiva tutta l'Africa della sua insaziabile curiosità. Domandava a suo zio lo Struzzo, perchè le penne della coda gli spuntassero così, e zio Struzzo lo batteva con la zampa dura dura; domandava a sua zia la Giraffa perchè avesse la pelle macchiettata, e zia Giraffa lo batteva con lo zoccolo duro duro. E ancora era pieno d'insaziabile curiosità. Domandava a suo zio l'Ippopotamo, perchè avesse gli occhi rossi a quel modo, e zio Ippopotamo lo batteva con lo zoccolo grosso grosso; e domandava a sua zia la Bertuccia perchè i melloni erano così dolci, e zia Bertuccia lo batteva con la zampa pelosa pelosa.

E ancora era pieno d'insaziabile curiosità. Faceva domande su tutto quello che vedeva, udiva, sentiva, odorava, o toccava, e tutti gli zii e tutte le zie lo battevano. E ancora era pieno d'insaziabile curiosità.

Una bella mattina, nel mezzo della precessione degli equinozzi, quell'insaziabile piccolo d'Elefante se ne uscì di punto in bianco con una domanda di nuovo genere:

– Che cosa mangia il Coccodrillo?

– Ssst!... – fecero tutti, imponendogli silenzio; e gliene diedero tante e poi tante, che non finivano più.

E quando furono finite, egli se n'ando dall'uccello Colocolo, che se ne stava in mezzo a un cespuglio d'AspettaunPezzo, e gli fece: – Mio padre mi ha battuto, e mia madre mi ha battuto; tutti i miei zii e tutte le mie zie mi hanno battuto per la mia insaziabile curiosità; ma pure io voglio sapere che cosa mangia il Coccodrillo.

L'uccello Colocolo gli disse con un grido lamentoso:

– Va sulle rive del fiume Limpopo, fiancheggiato dagli alberi della febbre, e lo saprai.

La mattina appresso, quando non era rimasto più nulla degli equinozi, perchè la precessione aveva proceduto secondo i precedenti, l'insaziabile piccolo d'Elefante si prese un centinaio di chilogrammi di banane, un centinaio di chilogrammi di canne da zucchero e diciassette melloni, e disse a tutta la sua cara famiglia:

– Addio! Io vado al fiume Limpopo, tutto fiancheggiato dagli alberi della febbre, per scoprire ciò che mangia il Coccodrillo.

E tutti lo picchiarono ancora una volta per dargli il buon viaggio, sebbene egli li pregasse amabilmente di non picchiarlo.

Poi egli si mise in viaggio un po' accaldato, ma per nulla affatto sorpreso, mangiando melloni e gettando le scorze perchè non poteva raccoglierle. Andò dalla città di Grahara a Kimberley e da Kimberley al paese di Khama, e dal paese di Khama andò ad est per il nord, mangiando melloni durante tutto il viaggio, finchè arrivò alle rive del gran fiume Limpopo, fiancheggiato dagli alberi della febbre, come l'uccello Colocolo gli avea detto.

Ora è necessario dire che fino a quella settimana, giorno, ora e minuto, quell'insaziabile piccolo d'Elefante non aveva mai veduto un Coccodrillo e non sapeva come fosse fatto. E questo era tutta la sua insaziabile curiosità.

La prima cosa che trovò fu un Serpente pitone a due colori avvolto intorno a una roccia.

– Scusa, – disse cortesemente il piccolo d'Elefante; – ma hai veduto qualche cosa come un Coccodrillo in queste parti promiscue?

– Se ho veduto un Coccodrillo? – disse il Serpente pitone a due colori, in tono sdegnoso. – E poi che altro vuoi sapere?

– Scusa, – disse il piccolo d'Elefante; – ma vuoi farmi la cortesia di dirmi che cosa mangia?

Allora il Serpente pitone a due colori si svolse rapidamente dalla roccia, e con la coda squamosa e coriacea battè il piccolo d'Elefante.

– Strano – disse il piccolo d'Elefante; – perchè mio padre e mia madre, e mio zio e mia zia, per non dir nulla di mio zio l'Ippopotamo e di mia zia la Bertuccia, tutti mi hanno battuto per la mia insaziabile curiosità.... Io credo che questo sia la stessa cosa.

Così molto cortesemente disse addio al Serpente pitone a due colori, e dopo averlo aiutato a riavvolgersi intorno alla roccia, si mise di nuovo in viaggio, un po' accaldato, ma non stupito, continuando a mangiar melloni e a gettar le scorze, perchè non poteva raccoglierle, finchè mise le zampe su ciò che credeva un tronco d'albero sull'estremo orlo del fiume Limpopo, tutto fiancheggiato dagli alberi della febbre. Ma in realtà era il Coccodrillo, e il Coccodrillo strizzò un occhio... così!

– Scusa, – disse il piccolo d'Elefante, molto cortesemente, – hai veduto per caso un Coccodrillo in queste parti promiscue?

Allora il Coccodrillo strizzò l'altro occhio, e sollevò la coda dal fango; e il piccolo d'Elefante si fece molto cortesemente indietro, perchè non voleva esser più picchiato.

– Vieni qui, piccino, – disse il Coccodrillo. – Perchè fai simili domande?

– Scusa, – disse il piccolo d'Elefante, molto cortesemente; – ma mio padre mi ha battuto, mia madre mi ha battuto, oltre a mio zio lo Struzzo e mia zia la Giraffa che dà dei calci così forti, e il mio grosso zio l'Ippopotamo, e la mia pelosa zia la Bertuccia, e finanche il Serpente pitone a due colori dalla coda squamosa e coriacea, che batte più forte degli altri; e se tu vuoi battermi, sappi che non voglio essere battuto più.

– Vieni qui, piccino, – disse il Coccodrillo; – perchè il Coccodrillo sono io.

E a mostrar che era vero pianse lagrime di Coccodrillo.

Allora il piccolo d'Elefante trattenne il respiro e tutto palpitante s'inginocchiò sulla riva e disse:

– Tu sei proprio quello che io ho cercato per tanti giorni. Mi dici, di grazia, che cosa mangi?

– Vieni qui, piccino, – disse il Coccodrillo; – e te lo dirò in un orecchio.

Allora il piccolo d'Elefante abbassò la testa e l'accostò alla bocca zannuta e muschiata del Coccodrillo, e il Coccodrillo lo acchiappò pel naso, che fino a quella settimana, giorno, ora e minuto, non era stato più grande d'una scarpa, sebbene si fosse dimostrato molto più utile.

– Credo, – disse il Coccodrillo – e lo disse fra i denti... così – credo che quest'oggi comincerò col piccolo d'Elefante!

Il piccolo d'Elefante, cari miei, rimase molto sconcertato, e disse, parlando col naso, così:

– Lasciabi, lasciabi ! Bi fai bale!

Allora apparve il Serpente pitone a due colori che s'avvicinò alla riva e disse:

– Mio giovine amico, se tu ora, immediatamente e istantaneamente non tiri più forte che puoi, è mia ferma opinione che la tua conoscenza con quel bel campione dal soprabito di cuoio (e con questo alludeva al Coccodrillo) ti porterà nella limpida corrente prima che tu possa dire amen.

Questa è la maniera d'esprimersi del Serpente pitone a due colori.

Allora il piccolo d'Elefante si sedè sulle ànche, e si mise a tirare, tirare e tirare, e il naso cominciò ad allungarglisi. E il Coccodrillo si dimenava nell'acqua, facendola spumeggiare con grandi colpi di coda, e dal canto suo tirava, tirava, tirava. E il naso del piccolo d'Elefante continuava ad allungarsi, e il piccolo d'Elefante allargò le quattro gambette, tirando, tirando, tirando, e il naso continuava ad allungarglisi; e il Coccodrillo batteva la coda come un remo, e tirava e tirava e tirava, e a ogni strappata il naso del piccolo d'Elefante diventava più lungo... e, perdindirindina! gli faceva male.

Allora il piccolo d'Elefante si sentì scivolare, e disse col naso, che era diventato lungo quasi un metro e mezzo: – Non ne bosso biù!

Allora il Serpente pitone a due colori s'allungò sulla riva e s'avvolse in doppio giro intorno alle gambe di dietro del piccolo d'Elefante, e disse:

– Precipitoso e inesperto viaggiatore, ora noi ci dedicheremo seriamente a un po' d'alta tensione; altrimenti è mia impressione che quel guerriero dal dorso corazzato (e con questo alludeva al Coccodrillo) vizierà permanentemente la tua futura carriera.

Questa è la maniera d'esprimersi del Serpente pitone a due colori.

Così egli si mise a tirare, e il piccolo d'Elefante tirava, e il Coccodrillo tirava; ma il piccolo d'Elefante e il Serpente pitone a due colori tiravano più forte; e finalmente il Coccodrillo lasciò il naso del piccolo d'Elefante con uno schiocco che fu sentito sopra e sotto il Limpopo.

E a un tratto il piccolo d'Elefante cadde all'indietro; ma prima disse grazie al Serpente pitone a due colori, e poi si occupò del suo povero naso, e se lo avvolse in foglie fresche di banano, e lo immerse nell'acqua fresca del Limpopo.

– Che fai? – disse il Serpente pitone a due colori.

– Scusa, – disse il piccolo d'Elefante; – ma il naso mi si è deformato, e io aspetto che si ritiri.

– Aspetterai un bel pezzo, – disse il Serpente pitone a due colori. – Certa gente non conosce la propria fortuna.

Il piccolo d'Elefante aspettò tre giorni che il naso si ritirasse; ma ebbe un bell'aspettare. Il coccodrillo glielo avea allungato nella stessa, precisa forma di proboscide che oggi hanno tutti gli Elefanti.

Alla fine del terzo giorno arrivò una mosca e punse il piccolo d'Elefante sulla spalla, e prima di saper ciò che facesse, egli sollevò la proboscide e ammazzò la mosca.

– Vantaggio numero uno! – disse il Serpente pitone a due colori; – il naso di prima non ti sarebbe servito a nulla. Ora, prova a mangiare un poco.

Prima di pensare a ciò che facesse, il piccolo d'Elefante sporse la proboscide e raccolse un gran fascio d'erba, lo ripulì sulle gambe anteriori, e se lo cacciò in bocca.

– Vantaggio numero due! – disse il Serpente pitone a due colori. – Il naso di prima non ti sarebbe servito a nulla. Non senti scottare il sole?

– Sì, – disse il piccolo d'Elefante, e prima di sapere quel che facesse raccolse un po' di fango dalla riva del Limpopo, e se l'applicò in testa, formandosi una buffa berrettina d'argilla.

– Vantaggio numero tre, – disse il Serpente pitone a due colori. – Il naso di prima non ti sarebbe servito a nulla. Ora che diresti se ti battessero di nuovo?

– Scusa, – disse il piccolo d'Elefante. – L'avrebbero da fare con me!

– E ti piacerebbe di darne? – disse il Serpente pitone a due colori.

– Altro che mi piacerebbe! – disse il piccolo d'Elefante.

– Bene, – disse il serpente pitone a due colori; – vedrai che il nuovo naso ti servirà giusto a proposito.

– Grazie, – disse il piccolo d'Elefante, – me ne ricorderò; ed ora credo che sia tempo di ritornare in famiglia a far la prova.

Così il piccolo d'Elefante se n'andò salterellando e giocherellando a traverso l'Africa. Quando voleva delle frutta, le spiccava dall'albero, invece d'aspettare che cadessero, come faceva prima. Quando voleva l'erba, la raccoglieva dal suolo, invece d'inginocchiarsi come faceva prima. Quando le mosche lo pungevano, rompeva un ramo e se ne faceva uno scacciamosche, e quando il sole scottava, si fabbricava un nuovo, refrigerante berretto d'argilla. Quando si sentiva solitario viaggiatore dell'Africa grande, si canterellava qualche cosa con la proboscide, e il rumore era più forte di parecchie fanfare. Egli deviò un poco dal suo itinerario per andare a trovare certo grosso Ippopotamo (che non era suo parente), e gliene diede molte per assicurarsi che il Serpente pitone a due colori aveva detto la verità sul suo nuovo naso. Poi nel resto del tempo, essendo un pachiderma pulito, egli raccolse tutte le scorze di mellone che aveva disseminate sulla via verso il Limpopo.

Una buia sera raggiunse i suoi cari parenti, arrotolò la proboscide e disse:

– Come state?

Essi furono contentissimi di rivederlo, e immediatamente gli dissero:

– Vieni qui che ti battiamo per la tua insaziabile curiosità.

– Ohibò! – disse il piccolo d'Elefante – quanto al battere, non credo ve ne intendiate molto. Lasciate fare a me, che son maestro.

Allora svolse la tromba e ne diede tante e tante a due cari fratelli da rovesciarli al suolo

– Corbezzoli! – essi dissero, – e chi ti ha fatto scuola, e che hai fatto al naso?

– Ne ho avuto uno nuovo dal Coccodrillo sulla riva del Limpopo – disse il piccolo d'Elefante. Gli ho detto: Che cosa mangi? ed egli mi ha fatto questo regalo.

– Mi pare molto brutto! – disse la sua pelosa zia la Bertuccia.

– È vero, – disse il piccolo d'Elefante, – ma è prezioso. E in così dire afferrò la Bertuccia per una gamba e la cacciò in un nido di vespe.

Allora quel cattivo piccolo d'Elefante battè ben bene quanti gli venivano a tiro, finchè non li lasciava ben caldi e sorpresi. Tirò le penne della coda a suo zio lo Struzzo; prese sua zia la Giraffa di dietro per una gamba e la

cacciò in un cespuglio spinoso; barrì nelle orecchie del suo grosso zio l'Ippopotamo, e gli soffiò nelle orecchie delle bolle di sapone, mentre quegli schiacciava un sonnellino dopo il pasto; ma non lasciò mai toccare l'uccello Colocolo.

Finalmente le cose divennero così gravi, che i suoi cari parenti se n'andarono a uno a uno sulle rive del Limpopo, e si fecero fare tutti dei nasi nuovi dal Coccodrillo. Quando ritornarono, nessuno battè più nessuno, e d'allora in poi tutti gli Elefanti che si son visti, e quelli che non si son visti, hanno proboscidi precisamente simili a quella dell'insaziabile piccolo d'Elefante.

LA CORSA DEL VECCHIO CANGURO

Una volta il Canguro non era come lo vediamo ora, ma un Animale Molto Diverso, con quattro gambe corte. Egli era grigio ed egli era lanoso e di ambizione smisurata: danzava su una roccia nel centro dell'Australia e un bel momento se n'andò dal Piccolo Dio Nga.

Egli andò da Nga alle sei della mattina, prima di colazione, e gli disse:

– Fammi diverso da tutti gli altri animali per le cinque del pomeriggio. –

Nga balzò dal suo seggio sulla nuda sabbia e strillò: – Va via! –

Egli era grigio ed egli era lanoso e di ambizione smisurata: danzava su un ciglione nel centro dell'Australia, e un bel momento se n'andò dal Medio Dio Nquing.

Egli andò da Nquing alle otto della mattina, dopo colazione, e gli disse:

– Fammi diverso da tutti gli altri animali; e inoltre fammi straordinariamente popolare per le cinque del pomeriggio. –

Balzò Nquing dalla sua tana nella gramigna spinosa e strillò:

– Va via! –

Egli era grigio ed egli era lanoso e d'ambizione smisurata; danzava su un banco di sabbia nel mezzo dell'Australia, e andò dal Grosso Dio Ngong.

Egli andò da Ngong, alle dieci prima del desinare, e gli disse: – Fammi diverso da tutti gli altri animali; rendimi popolare e fammi correre straordinariamente per le cinque del pomeriggio.

Ngong balzò dal bagno nella casseruola di sale e strillò:

– Va benissimo!

Ngong chiamò Dingo – Dingo Cane Giallo – sempre affamato e polveroso nella luce del sole, e gli indicò il Canguro.

Ngong disse:

– Dingo! Svegliati. Dingo! Non senti quel signore che balla sul burrone? Egli vuol essere popolare e dopo correre veramente. Dingo, pensaci tu!

Saltò su Dingo – Dingo Cane Giallo – e disse:

– Chi, quel coniglio gatto?

Via corse Dingo – Dingo Cane Giallo – sempre affamato, digrignando i denti come il secchio del carbone – corse dietro al Canguro.

Via andava l'ambizioso Canguro sulle quattro piccole gambe, come una lepre.

E qui finisce la prima parte di questo racconto.

Correva attraverso il deserto; correva attraverso le montagne; correva a traverso le saline; correva attraverso i letti di giunchi; correva attraverso le erbe azzurre; correva attraverso le graminacee spinose; correva, correva e le gambe d'avanti gli facevan male. E ne aveva da correre! E ne aveva da correre!

E anche Dingo correva – Dingo Cane Giallo – sempre affamato, digrignando i denti come una trappola, non arrivando mai più vicino, non arrivando mai più lontano, correva dietro il Canguro. E ne aveva da correre! E il Canguro ancora correva – il vecchio Canguro. Correva attraverso le piante di manioca, correva attraverso l'erba lunga, correva attraverso l'erba corta, correva attraverso i tropici del Capricorno e del Cancro, correva tanto che le gambe di dietro gli facevano male. E ne aveva da correre!

E Dingo ancora correva – Dingo Cane Giallo – ogni istante più affamato, digrignando i denti come un basto d'asino, non avvicinandosi mai, non allontanandosi mai; e i due arrivarono al fiume di Wollgong.

Ora non v'erano ponti e non v'erano battelli, e il Canguro non sapeva come passare; così si sollevò sulle gambe e saltò. E ne aveva da saltare! Saltò attraverso i detriti, saltò attraverso le scorie, saltò attraverso i deserti nel centro dell'Australia, saltò come un Canguro.

Prima saltò un metro, poi saltò tre metri, poi saltò cinque metri. Le gambe andavano diventando più forti, le gambe andavano diventando più lunghe. Non aveva tempo da riposare e da rinfrescarsi, e ne aveva molto bisogno.

E Dingo ancora correva – Dingo Cane Giallo – sbalordito, chè non sapeva per qual ragione al mondo o fuori del mondo il Canguro si fosse messo a saltare. Giacchè questi saltava come un grillo; come un cece nella padella, come una palla di gomma su un pavimento di mattonelle. E ne aveva da saltare! Egli piegò le gambe d'avanti; egli saltò sulle gambe di dietro; egli si servì della coda come una leva, e saltò attraverso le dilette dune. E ne aveva da correre! Dingo ancora correva – Dingo Cane Stanco – ogni istante più affamato, e sempre più sbalordito, non sapendo per qual ragione al mondo o fuor del mondo il vecchio Canguro si fosse fermato.

Allora venne Ngong dal suo bagno nelle saline, e disse:

– Sono le cinque.

Dingo si sedette, Dingo-Povero-Cane, polveroso nella luce del sole, cacciò ciondoloni la lingua e urlò.

Il Canguro si sedè sulla coda, come su uno sgabello, e disse: – Grazie a Dio, è finita!

Allora disse Ngong, che è sempre un gentiluomo:

– Perchè non ti dimostri grato a Dingo Cane Giallo? Perchè non lo ringrazi per tutto ciò che ha fatto per te?

Allora disse il Canguro, il vecchio Canguro Stanco:

– Egli m'ha cacciato fuor dei luoghi della mia fanciullezza; ha distrutto l'orario dei miei pasti; m'ha alterato nelle forme, in modo che non mi riconosco più.

Allora disse Ngong:

– Sbaglio forse; ma non sei stato tu che m'hai chiesto di esser diverso da tutti gli altri, così da esser molto popolare. E ora sono le cinque.

– Sì, – disse il Canguro. – Vorrei non avertelo chiesto. Io credevo che tu l'avresti fatto per incantesimo o per magìa; e invece questo è uno scherzo volgare.

– Scherzo! – disse Ngong dal suo bagno. – Dillo un'altra volta, e chiamerò con un fischio Dingo perchè ti tolga le gambe di dietro.

– No, – disse il Canguro. – Scusami. Le gambe sono gambe, e non è necessario che tu me le cambi. Soltanto volevo dirti che da stamane non ho mangiato nulla, e sono assolutamente vuoto.

– Sì, – disse Dingo – Dingo Cane Giallo – io sono nelle stesse condizioni. Io t'ho fatto diverso da tutti gli altri animali; che mi dài per merenda?

Allora disse Ngong, dal suo bagno nella salina: – Venite a domandarmelo domani, perchè ora debbo lavarmi. – Così essi furono lasciati nel mezzo dell'Australia, il vecchio Canguro e Dingo Cane Giallo, e l'uno diceva all'altro: – Tutto per colpa tua.

L'ORIGINE DELL'ARMADILLO

Questa è una storia di tempi remotissimi. C'era in quei tempi un Riccio che viveva sulle rive del torbido Amazzone, mangiando lumache col guscio e altro. Ed egli aveva un'amica, una Tartaruga, che viveva sulle rive del torbido Amazzone, mangiando lattuga e altro. E così andavano innanzi tranquillamente.

Ma anche allora, in quei remotissimi tempi, viveva un Giaguaro picchiettato, che abitava sulle rive del torbido Amazzone, divorando tutto ciò che poteva acchiappare. Quando non poteva acchiappare caprioli e scimmie, mangiava rane e scarafaggi; quando non poteva acchiappare rane e scarafaggi, andava da sua madre e le domandava come dovesse fare per mangiare ricci e tartarughe. Essa gli aveva tante volte detto, agitando graziosamente la coda:

– Figlio mio, quando trovi un riccio, gettalo nell'acqua ed esso si svolgerà, e quando acchiappi una tartaruga, cavala con le zampe fuori dal guscio.

E così si andava innanzi tranquillamente.

Una bella notte sulle rive del torbido Amazzone, il Giaguaro picchiettato trovò il Riccio e la Tartaruga seduti sotto il tronco d'un albero caduto. Essi non potevano fuggire, e il Riccio s'avvolse a guisa di palla, e la Tartaruga ritirò più che potè la testa e i piedi nel guscio.

– Ora, sentite un poco, – disse il Giaguaro picchiettato, – perchè è una cosa importante. La mamma mi ha detto che se incontro un Riccio, debbo gettarlo nell'acqua perchè si apra, e se incontro una Tartaruga debbo con le zampe cavarla fuori dal guscio. Ora quale di voi due è il Riccio e quale la Tartaruga? Perchè, a dirvi la verità, io non lo so.

– Sei sicuro di ciò che ti ha detto la mamma? – disse il Riccio. – Sei proprio sicuro? Forse essa ti ha detto che quando apri una Tartaruga, devi sgusciarla dall'acqua con una pala, e che quando calpesti un Riccio, devi gettarlo sul guscio.

– Sei sicuro di ciò che ti ha detto la mamma? – disse la Tartaruga. – Ne sei proprio sicuro? Forse essa t'ha detto che quando inaffi un Riccio, devi avvolgerlo sulla zampa, e che quando incontri una Tartaruga, devi sgusciarla finchè si sgomitoli.

– Non credo che abbia detto così, – disse il Giaguaro picchiettato, pensoso, perchè si sentiva un po' imbrogliato: – Di grazia, ditemelo un'altra volta, un po' più chiaramente.

– Quando cavi l'acqua con la zampa, devi sgomitolarla con un Riccio, – disse il Riccio. – Ricòrdatelo, perchè è importantissimo.

– E – disse la Tartaruga – quando tu calpesti il tuo cibo, lascialo cadere in una Tartaruga con una pala.... Come! non capisci?

– Mi fate dolere le macchie, – disse il Giaguaro picchiettato. – E poi non ho bisogno dei vostri consigli. Voglio sapere soltanto quale di voi due è il Riccio e quale la Tartaruga.

– Io non te lo dirò, – disse il Riccio. – Ma se ti piace, puoi cavarmi dal guscio.

– Ah! – disse il Giaguaro picchiettato, soddisfatto. – Ora lo so.

Il Giaguaro picchiettato sporse la zampa inguantata nell'atto che il Riccio si raggomitolava e naturalmente il Giaguaro picchiettato si riempì di aculei. Peggio: egli spinse rotoloni il Riccio lontano lontano, tra le macchie e i cespugli, dove era troppo buio per scovarlo. Allora si mise la zampa inguantata in bocca, e gli aculei gli facevano male peggio che mai. Appena potè parlare disse:

– Ora so bene che non è la Tartaruga. Ma.... – e qui si grattò la testa con la zampa piena di aculei – come faccio ora a sapere se quest'altra è la Tartaruga?

– La Tartaruga sono io, – disse la Tartaruga. – Tua madre ha ragione. Essa t'ha detto che dovevi con la zampa cavarmi fuori dal guscio. Avanti!

– Un minuto fa non dicevi così, – disse il Giaguaro picchiettato, succhiandosi la zampa per trarne gli aculei. – Tu dicevi che essa aveva detto diversamente.

– Bene, supponi che tu dica che io abbia detto che essa abbia detto diversamente; perchè se essa ha detto ciò che tu dici che io abbia detto che essa abbia detto, è lo stesso come se io abbia detto ciò che essa ha detto d'aver detto. D'altra parte, se tu pensi che essa abbia detto che tu dovevi sgomitolarmi con una pala invece di calpestarmi a gocce con un guscio, io che ci posso fare?

– Ma tu hai detto che volevi essere cavata dal guscio con la mia zampa! – disse il Giaguaro picchiettato.

– Se rifletti meglio, comprenderai che io non ho detto nulla di simile. Io ho detto semplicemente che tua madre ti ha detto che tu dovevi cavarmi dal guscio. – disse la Tartaruga.

– E che accadrà se lo faccio? – disse molto cautamente il Giaguaro.

– Non so, perchè finora non sono stata mai cavata dal guscio; ma in verità ti dico che se vuoi vedermi nuotare, non hai da far altro che gettarmi nell'acqua.

– Non lo credo – disse il Giaguaro picchiettato. Tu hai imbrogliato talmente le cose che mia madre mi ha detto di fare con quelle che mi hai domandato se io son sicuro che essa non abbia detto, che non so più se penso con la testa o con la coda; e ora che tu mi dici qualche cosa che posso capire mi trovo più imbrogliato di prima. Mia madre mi ha detto di gettare uno di voi due nell'acqua, e siccome tu mi sembri così ansiosa di esservi gettata, indovino che non sei tu quella che dovrei gettare. Ora salta nel torbido Amazzone, e vediamo.

– T'avverto che a tua madre dispiacerà. Non dirle che l'ho detto io, – disse la Tartaruga.

– Se dici un'altra parola di ciò che ha detto la mamma.... – rispose il Giaguaro picchiettato; ma non ancora aveva finito, che già la Tartaruga quietamente s'era immersa nel torbido Amazzone e, nuotando sott'acqua per un lungo tratto, era giunta alla riva dove il Riccio stava aspettandola.

– L'abbiamo scampata bella, – disse il Riccio. – Il Giaguaro picchiettato non mi va a verso. Che gli hai detto d'essere?

– Gli ho detto la verità: che sono la Tartaruga, ma non ha voluto credermi; e mi ha fatta saltare nel fiume per vedere se fossi proprio io; e siccome ero io, è rimasto a bocca aperta! Ora è andato a dirlo alla mamma. Senti!

Essi potevano udire il Giaguaro picchiettato che ruggiva su e giù fra gli alberi e i cespugli sulla riva del torbido Amazzone finchè fu udito dalla mamma.

– Figlio, figlio! – diceva la madre, agitando graziosamente la coda, – che cosa hai fatto che non dovevi fare?

– Mi son provato a cavar ciò che doveva esser cavato fuor del guscio con la zampa, e la zampa mi s'è piena di spine! – disse il Giaguaro picchiettato.

– Figlio, figlio! – disse la madre agitando graziosamente la coda: – dalle spine che hai nella zampa comprendo che era un Riccio. Dovevi gettarlo nell'acqua.

– Nell'acqua ho gettato quell'altra; mi disse d'essere una Tartaruga, ed era vero! ma io non volli crederlo, ed era vero, ed essa s'è immersa nel torbido Amazzone e non n'è ritornata più, ed io non ho avuto nulla da mangiare, e penso che sarebbe meglio cangiar di paese. Sono troppo astuti nel torbido Amazzone per me poveretto

– Figlio, figlio! – disse la madre, agitando graziosamente la coda, – ora sta attento e ricorda ciò che ti dico. Un Riccio s'avvolge a guisa di palla e i suoi aculei s'appuntano subito in ogni direzione. Da questo si riconosce il Riccio.

– Questa vecchia non mi piace affatto – disse il Riccio, sotto l'ombra di una larga foglia. – Vorrei sapere che altro sa!

– Una Tartaruga non può raggomitolarsi – continuava la madre del Giaguaro, agitando graziosamente la coda. – Essa può ritirare la testa e i piedi nel guscio. Da questo si riconosce la Tartaruga.

– Questa vecchia non mi piace affatto affatto – disse la Tartaruga. – Il Giaguaro Picchiettato non può dimenticare questi contrassegni. È un peccato, Riccio mio, che tu non sappia nuotare.

– Non me ne parlare, – disse il Riccio. – Pensavo appunto a quanto sarebbe meglio che tu potessi raggomitolarti. È un peccato! Ascolta il Giaguaro picchiettato.

Il Giaguaro picchiettato, seduto sulle rive del torbido Amazzone, e succhiandosi la zampa ove s'era infitti gli aculei, diceva a sè stesso:

Non s'aggomitola, ma può nuotare:

la Tartaruga da questo appare.

Si raggomitola, ma il nuoto ignora:

è proprio il Riccio che vedi allora.

– Egli non lo dimenticherà mai, – disse il Riccio. – Tienimi un po' la pelle, Tartaruga. Voglio provare a imparare a nuotare. Può servire.

– Benissimo – disse la Tartaruga; e teneva la pelle del Riccio, mentre questi faceva delle sgambettate nelle acque del torbido Amazzone.

– Tu diventerai un celebre nuotatore, – disse la Tartaruga. – Ora staccami un poco le piastre del dorso e della pancia. Voglio provare ad aggomitolarmi. Può servire.

Il Riccio aiutò la Tartaruga a staccarsi le piastre; così che col piegarsi e lo sforzarsi, la Tartaruga subito pervenne ad avvolgersi un pochino.

– Benissimo, – disse il Riccio; – ma direi di non continuare per ora. Diventi tutta nera in faccia. Conducimi, per gentilezza, ancora una volta nell'acqua, ed io mi proverò ad eseguire quel colpo di fianco che tu dici così facile.

E così il Riccio fece, e la Tartaruga gli nuotava accanto.

– Benissimo, – disse la Tartaruga. – Con un po' più di pratica sarai una vera balena. Ora, se vuoi incomodarti a slacciarmi il dorso e a tenermi separate un po' più le due piastre d'osso, mi proverò a fare quella curva che dici così facile. Chi sa come rimarrà il Giaguaro picchiettato!

– Benissimo, – disse il Riccio, tutto bagnato dall'acqua del torbido Amazzone. – C'è da scambiarti con uno dei miei parenti. Un po' più separate, hai detto? Un po' più d'espressione, di grazia; e non soffiar tanto; se no, il Giaguaro picchiettato ci sentirà. Quando avrai finito, io voglio provarmi nel fare quella lunga immersione che tu ritieni così facile. – E così il Riccio s'immerse, e la Tartaruga gli nuotò a fianco.

– Benissimo, – disse la Tartaruga. – Un po' più d'attenzione nel trattenere il respiro, e sarai capace di mettere casa sul fondo del torbido Amazzone. Ora farò l'atto di avvolgermi le gambe intorno al collo, che tu dici un esercizio così particolarmente delizioso. Chi sa come rimarrà il Giaguaro picchiettato.

– Benissimo, – disse il Riccio, – ma è uno sforzar troppo le tue piastre. Invece d'essere perfettamente connesse, si sono disgiunte.

– È il risultato dell'esercizio, – disse la Tartaruga. – Io ho osservato che i tuoi aculei si fondono l'uno nell'altro, e che tu sembri piuttosto una pina che un riccio di castagna come eri prima.

– Dici il vero? – disse il Riccio. – È perchè mi esercito nell'acqua. Oh, come rimarrà il Giaguaro picchiettato!

Essi continuarono nei loro esercizi, aiutandosi l'un l'altra, fino alla mattina; e quando il sole fu alto, si misero a riposare e si asciugarono. Allora s'accorsero che erano affatto diversi da ciò che erano stati.

– Caro Riccio, – disse la Tartaruga, dopo colazione; – io non sono ciò che ero ieri; ma credo che potrò divertire il Giaguaro picchiettato....

– Stavo pensando la stessa cosa, – disse il Riccio. – Credo che le scaglie siano un magnifico progresso in confronto degli aculei, senza dir nulla della capacità di nuotare. Oh il naso del Giaguaro picchiettato! Andiamo a trovarlo.

Subito trovarono il Giaguaro picchiettato che si medicava ancora la zampa inguantata, ferita dagli aculei la sera innanzi. Egli fu così meravigliato, che girò tre volte sulla coda picchiettata senza fermarsi.

– Buon giorno, – disse il Riccio, – e come sta la tua graziosa mamma, stamane?

– Benissimo, grazie, – disse il Giaguaro picchiettato. – Ma devi perdonarmi se in questo momento non ricordo il tuo nome.

– Non è gentile da parte tua, quando ieri provasti con la zampa a cavarmi fuori dal guscio.

– Ma tu non avevi guscio. Eri tutto aculei, – disse il Giaguaro picchiettato. – Lo so ben ora. Guardami la zampa!

– Tu mi dicesti di gettarmi nel torbido Amazzone per farmi annegare – disse la Tartaruga. – Perchè sei così sgarbato e smemorato oggi?

– Non ricordi quel che t'ha detto la mamma, – disse il Riccio:

Non s'aggomitola, ma può nuotare:

la Tartaruga da questo appare.

Si raggomitola, ma il nuoto ignora:

è proprio il Riccio che vedi allora?

Entrambi si raggomitolarono e rotolarono intorno al Giaguaro picchiettato, che spalancò gli occhi grandi come ruote di carro.

Allora andò a cercare la mamma.

– Mamma, – egli disse, – vi sono due nuovi animali nel bosco oggi, e quello che tu dicesti che non poteva nuotare, nuota; e quello che dicesti che non poteva aggomitolarsi, s'aggomitola, e si sono ripartiti gli aculei, credo: perchè entrambi hanno le scaglie invece di essere uno liscio e l'altro spinoso; e inoltre tutti e due s'arrotolano a palla. Io non mi sento affatto sicuro.

– Figlio, figlio! – disse la madre del Giaguaro, agitando graziosamente la coda, – un Riccio è un Riccio e non può essere che un Riccio; e una Tartaruga è una Tartaruga, e non può esser altro.

– Ma non è nè un Riccio nè una Tartaruga; è un pezzettino dell'uno e dell'altra, e non so come si chiami.

– Sciocchezze, – disse la madre del Giaguaro. – Ogni cosa ha il suo nome. Lo chiameremo Armadillo, finchè non scopriremo il suo vero nome, e non fargli la caccia.

Così il Giaguaro picchiettato fece come aveva detto la madre, specialmente intorno a non fargli la caccia; ma la cosa singolare è che da quel giorno a questo, nessuno sulle rive del torbido Amazzone ha chiamato mai quell'animale Riccio o Tartaruga, ma Armadillo. Vi sono Ricci e Tartarughe in altri luoghi naturalmente (ve ne sono anche nel mio giardino), ma quelli della vecchia e astuta specie con le scaglie che si sovrappongono come squame di pine, e che vivevano sulle rive del torbido Amazzone nei vecchi e remotissimi giorni, sono sempre chiamati Armadilli, perchè sono così scaltri. Tanto meglio, non è vero?

COME FU SCRITTA LA PRIMA LETTERA

C'era una volta in tempi remoti un uomo Neolitico, che non era un Juto o un Anglo e neanche un Dravidiano, ma un Primitivo, che viveva primitivamente in una caverna ed era poco vestito. Non sapeva nè leggere, nè scrivere e non gliene importava affatto, ed, eccetto quando era affamato, viveva perfettamente felice. Si chiamava Tegumai Bopsulai, che significa: "Uomo-che-cammina-con-precauzione"; ma noi, cari miei, lo chiameremo per brevità Tegumai. E il nome di sua moglie era Teshumai Tewindrow, che significa: "Donna-che-fa-molte-e-molte-domande"; ma noi, cari miei, la chiameremo per brevità Teshumai. E il nome della loro figliuola era Taffimay Metallumai, che significa: "Personcina-senza-nessuna-educazione-che-dovrebbe-essere-battuta"; ma io la chiamerò Taffy. Ed essa era la prediletta di Tegumai Bopsulai e la prediletta della sua mammina; e non era battuta la metà di quanto avrebbe meritato; e vivevano tutti e tre felicissimi. Dal giorno che seppe muovere i primi passi, Taffy, se ne andò per ogni dove col suo babbo Tegumai, e a volte essi non ritornavano in casa alla caverna, se non erano affamati, e allora Teshumai Tewindrow diceva: "Dove diamine mai siete andati per essere così infangati fino al collo? Oh, Tegumai mio, tu non hai più giudizio di Taffy."

Ora state attenti e sentite.

Un giorno Tegumai Bopsulai discese per la palude dei castori al fiume Wagai per arpionare il carpione da cuocere a desinare, e vi condusse Taffy. L'arpione di Tegumai era di legno con denti di pescecane alla punta, e prima che acchiappasse un solo pesce, egli lo ruppe netto, scagliandolo disgraziatamente con troppa forza contro il fondo del fiume. Essi erano lontano di casa miglia e miglia (naturalmente s'erano portata la colazione in una borsetta) e Tegumai aveva dimenticato di portarsi un arpione di ricambio.

– Magnifica pesca! – disse Tegumai. – Ci vorrà mezza giornata per accomodarlo.

– C'è quel grande arpione nero a casa, – disse Taffy. – Corro io alla caverna e me lo faccio dare dalla mamma.

– È troppo lontano per le tue gambette, – disse Tegumai. – E poi potresti cadere nella palude dei castori e affogare. Farò di necessità virtù. – Si sedè in terra, prese una borsetta di cuoio, piena di nervi di renna e strisce di pelle, pezzi di cera e di resina, e cominciò ad accomodare l'arpione. Taffy gli si sedè accanto, con le punte dei piedi nell'acqua e il mento in una mano, a meditare. Poi disse:

– Io dico, papà, che è una seccatura che tu e io non sappiamo scrivere. Se no, potremmo mandare una lettera per avere un altro arpione.

– Taffy, – disse Tegumai – quante volte t'ho detto di non usare certe parole? Seccatura non è una parola rispettosa.... ma dici bene, sarebbe una gran comodità poter scrivere a casa.

Appunto in quel momento uno Straniero veniva lungo la sponda; ma apparteneva alla tribù lontana dei Tewars, e non capiva una parola del linguaggio di Tegumai. Egli se ne rimase sulla riva, sorridendo a Taffy, perchè anche lui aveva a casa una bambina. Tegumai trasse una matassa di nervi di renna dalla borsetta e si mise ad accomodare l'arpione.

– Vieni qui, – disse Taffy. – Sai dove sta la mamma? – E lo Straniero fece "Hum", giacchè, come sapete, era un Tewara.

– Stupido, – disse Taffy e pestò il piede, perchè vedeva passare una bella schiera di carpioni che risalivano il fiume, appunto quando il padre non poteva usare l'arpione.

– Non infastidire chi è più grande di te, – disse Tegumai, così assorto nel suo lavoro, che non voltò neanche la testa.

– Che c'entra? – disse Taffy. – Io gli dico soltanto di fare ciò che voglio che faccia, ed egli non capisce.

– Allora non seccare me! – disse Tegumai, continuando a tirare e a rafforzare i nervi di renna, la bocca piena di striscette sciolte di pelle. Lo Straniero, che era veramente un Tewara, si sedè sull'erba, e Taffy gli mostrò ciò che stava facendo il padre. Lo Straniero pensava: "Questa è una bambina straordinaria. Pesta i piedi e mi fa dei versacci. Deve essere la figlia di quel nobile Capo, il quale è così grande che mostra di non accorgersi di me". Così le sorrise più cortesemente di prima.

– Ora, – disse Taffy, – io voglio che tu vada dalla mamma, perchè le tue gambe sono più lunghe delle mie, e tu non corri rischio di cadere nella palude dei castori, e le chiegga l'altro arpione di papà: quello col manico nero, appeso accanto al focolare.

Lo Straniero – che era un Tewara – pensava: "Questa è una fanciulla straordinaria, veramente straordinaria. Agita le braccia, mi fa dei cenni, mi parla, e io non capisco una parola di ciò che dice. Ma se io non faccio ciò che essa desidera, ho una gran paura che quel fiero Capo, l'Uomo-che-volta-le-spalle-ai-visitatori, monti in collera!" – Egli s'alzò, e staccò un gran pezzo di scorza da una betulla, e lo diede a Taffy. Glielo diede per mostrare che il proprio cuore era candido come la scorza della betulla e che non aveva cattive intenzioni; ma Taffy non comprese bene. – Oh! – essa disse. – Capisco. Tu vuoi che io ti scriva l'indirizzo della mamma? Io non so scrivere, ma posso far dei disegni, se ho qualche cosa di aguzzo con cui incidere. Per piacere, prestami il dente di pescecane della tua collana.

Lo Straniero che era un Tewara, non diceva nulla; ma Taffy stese la manina e scosse la bella collana di pietruzze, di noccioli e di denti di pescecane che quegli aveva al collo.

Lo Straniero, che era un Tewara, pensava: "Questa è una bambina veramente, veramente, veramente straordinaria. Il dente che ho nella collana è d'un pescecane incantato. Ho sempre sentito dire che chi lo toccasse senza mio permesso, immediatamente si gonfierebbe e scoppierebbe. Ma questa bambina non si gonfia e non scoppia, e quell'importante Capo, l'Uomo-che-s'occupa-esclusivamente-dei-suoi-affari, e che non ha ancora dato a vedere d'essersi accorto di me, non sembra minimamente temere ch'essa si gonfi o scoppi. Farei meglio a mostrarmi più cortese".

Cosi diede a Taffy il dente di pescecane, ed essa si stese sul petto, con le gambe in aria, come certe persone che conosco io le quali si allungano sul pavimento del salotto quando vogliono disegnare, e disse: "Ora ti farò dei bei disegni. Se vuoi, puoi guardar di sopra la mia spalla, ma bada di non urtarmi. Prima farò papà che pesca, non tanto somigliante, ma la mamma lo riconoscerà, perchè io ho disegnato l'arpione tutto rotto. Bene, ora disegnerò l'altro arpione, quello ch'egli vuole, l'arpione col manico nero. Pare come se fosse aggrappato sul dorso di papà, ma il dente di pescecane m'è sfuggito e questo pezzo di scorza non è abbastanza grande. Questo è l'arpione ch'io voglio tu vada a pigliare: e questa son io che ti spiego la cosa. I miei capelli non sono così ritti come li ho disegnati, ma a questo modo si fanno più facilmente. Ora faccio te. So che in realtà tu sei bello, ma non so farti bello nel ritratto: quindi non ti devi offendere. Ti sei offeso?".

Lo Straniero, ch'era un Tewara, sorrise. Egli pensava: "Questa forse è una grande battaglia che deve essere combattuta in qualche parte, e questa straordinaria bambina, che si piglia il dente del pescecane incantato, ma che non si gonfia e non scoppia, mi dice di chiamare tutta la grande Tribù del gran Capo ad aiutarlo. Egli è un gran Capo; altrimenti si sarebbe accorto di me".

– Guarda, – disse Taffy, scarabocchiando con difficoltà, – ecco il tuo ritratto. Ti metto in mano l'arpione che papà vuole, per ricordarti che tu devi portarlo. Ora ti indicherò il modo di trovare l'indirizzo della mamma. Va' avanti finchè arrivi a due alberi (questi sono alberi) e allora sali una collina (questa è la collina) e arrivi alla palude dei castori tutta piena di castori. Non ci ho messo i castori interi, perchè interi non so disegnarli, ma ne ho schizzate le teste: è tutto ciò ch'essi mostrano quando si attraversa la palude. Attento a non cascarci dentro! La nostra caverna è appunto oltre la palude dei castori. Veramente non è alta come la collina, ma io non so disegnare le cose molto in piccolo. Ora, perchè tu non lo dimentichi, ho disegnato fuori della nostra caverna l'arpione che occorre a papà. In verità è dentro, ma tu mostra il disegno alla mamma ed essa te lo darà. Ho disegnata la mamma con le mani alzate, perchè so che essa sarà tanto contenta di vederti. Non è tutto un bel disegno? E hai ben compreso, o debbo ricominciar da capo a spiegartelo?

Lo Straniero, che era un Tewara, guardava il disegno e faceva dei cenni col capo. Egli si diceva: "Se io non vado a chiamare la Tribù di questo gran Capo, perchè accorra ad aiutarlo, i nemici che verranno armati da tutti i lati, lo uccideranno. Ora capisco perchè il gran Capo ha finto di non vedermi. Temendo che i suoi nemici si nascondessero nei cespugli e lo vedessero consegnarmi

un messaggio, mi ha voltato le spalle, lasciando che questa saggia e meravigliosa bambina disegnasse il terribile quadro di tutte le sue difficoltà. Io andrò via a chiedere il soccorso della sua Tribù".

E a Taffy non chiese neanche la strada, ma corse attraverso i cespugli come il vento, con la scorza di betulla in mano; e Taffy sedè soddisfatta.

Ora questo è il disegno fatto da Taffy per lui.

– Che cosa hai fatto finora, Taffy? – disse Tegumai. Egli aveva accomodato l'arpione, e lo agitava attentamente innanzi e indietro.

– Lo so io, papà caro, – disse Taffy. – Se non mi fai delle domande, fra poco saprai tutto e sarà una bella sorpresa. Sarai molto sorpreso, caro papà. Promettimi che sarai sorpreso.

– Benissimo, – disse Tegumai, – e continuò a pescare.

Lo Straniero – già sapete che era un Tewara – corse via col disegno e camminò per alcune miglia, finchè soltanto per caso trovò sulla porta della caverna Teshumai Tewindrow che conversava con alcune signore Neolitiche raccolte intorno a una colazione Primitiva. Taffy somigliava molto a Teshumai, specialmente alla fronte e agli occhi, e quindi lo Straniero – sempre un Tewara autentico – sorrise cortesemente, e consegnò a Teshumai la scorza di betulla. Egli aveva corso molto ed ansava, e aveva le gambe graffiate dai rovi; ma pure si provò a sorridere molto cortesemente.

Appena Teshumai vide il disegno, urlò come una fiera e si scagliò contro lo Straniero. Le altre signore Neolitiche subito lo atterrarono e si sedettero su lui in una lunga fila di sei, mentre Teshumai si strappava i capelli. "È evidente come il naso sulla faccia di questo Straniero – essa diceva. – Egli ha disseminato tutto il mio Tegumai di arpioni, e spaventata la poveva Taffy in modo da farle rizzare i capelli; e non contento di ciò, mi porta un orribile quadro di ciò che ha fatto. Guardate!". – Essa mostrò il disegno a tutte le signore Neolitiche sedute pazientemente sullo Straniero. – "Ecco qui il mio Tegumai col braccio rotto; ecco qui un arpione che gli è penetrato nel dorso; ecco qui un uomo che gliene getta un altro; ecco un altro uomo che gli getta un altro arpione da una caverna; ed ecco qui un mucchio di persone (veramente erano i castori disegnati da Taffy, ma sembravano persone) dietro Tegumai. Non è orribile?".

– Più che orribile, – dissero le signore Neolitiche, e insudiciarono di fango i capelli dello Straniero (della qual cosa egli fu sorpreso) e batterono gli strepitosi tamburi della Tribù, e raccolsero tutti i capi della Tribù di Tegumai coi loro comandanti e vicecomandanti, tutti i governatori e vicegovernatori e capi di centurie dell'organizzazione, oltre i guerrieri di ogni ordine e i bonzi e tutti gli altri, e tutti insieme decisero che, prima di tagliar la testa allo Straniero, questi dovesse istantaneamente guidarli fino al fiume e mostrar loro dove avesse nascosta la povera Taffy.

E allora lo Straniero (nonostante fosse un Tewara) si mostrò realmente seccato. Gli avevano impiastricciato i capelli di fango, e questo s'era rappreso; lo avevano rotolato su e giù sui ciottoli gibbosi; s'erano seduti su lui in una lunga fila di sei; lo avevano battuto ben bene fino a togliergli il respiro, e sebbene non comprendesse il loro linguaggio, era quasi sicuro che gli epiteti con cui lo chiamavano le signore Neolitiche non erano niente affatto signorili. Pure, non disse nulla finchè non fu raccolta tutta la Tribù di Tegumai, ed egli la guidò fino alla riva del fiume Wagai, dove Taffy era intenta a far ghirlande di margherite, e Tegumai a pescar piccoli carpioni col suo arpione raggiustato.

– Bene, hai fatto presto! – disse Taffy. – Ma perchè hai condotto tanta gente? Papà caro, questa è la mia sorpresa. Sei sorpreso, papà?

– Molto, – disse Tegumai – ma la tua sorpresa manda a monte tutta la mia pesca oggi. Perchè tutta la cara, gentile, squisita, linda, quieta Tribù è qui con noi, Taffy.

Ed era vero. Prima di tutto veniva Teshumai Tewindrow con le signore Neolitiche, che tenevano bene stretto lo Straniero, i capelli del quale, sebbene egli fosse un Tewara, erano pieni di fango. Dietro di loro veniva il Capo dei Capi, il vicecapo, la Deputazione e i Capi Aiutanti (tutti armati fino ai denti), i Capi di Centurie, i Comandanti con le loro schiere, i Governatori coi loro distaccamenti, ViceGovernatori e bonzi, schierati di dietro (anch'essi armati fino ai denti). Dietro a tutti veniva la Tribù in ordine gerarchico, dai proprietari di quattro caverne (una per stagione) fino ai villani feudali e prognati, aventi diritto a una mezza pelle d'orso le notti d'inverno, a distanza di sette passi dal fuoco, e ai servi della gleba, che potevano optare tra il pagamento della successione e l'offerta al padrone d'un osso ben pulito pieno di midollo. Erano arrivati tutti, e saltavano, e gridavano, e spaventavano tutti i pesci fino alla distanza di venti miglia, e Tegumai li ringraziò con una fluente orazione Neolitica. Allora Teshumai Tewindrow corse a baciare e a sollevare nelle braccia Taffy; ma il Capo dei Capi della Tribù di Teshumai afferrò Tegumai per il pennacchio che gli si ergeva sulla fronte e lo scosse rudemente.

– Spiegati! spiega! spiega! – gridava tutta la Tribù di Tegumai.

– Adagio! – disse Tegumai. – Lascia stare il pennacchio. Perchè mi si rompe l'arpione, mi deve precipitare addosso tutta la comunanza? Siete dei ficcanasi!

– Mi pare, – disse Taffy, – che dopo tutto non avete portato con voi l'arpione di papà col manico nero. E che avete mai fatto al mio gentile Straniero?

Essi lo battevano in due, e in tre, e in dieci, e gli occhi gli giravano nelle orbite. Egli poteva soltanto ansare e indicare Taffy.

– Dove sono quelli che ti hanno ferito con le lance, mio caro? – diceva Teshumai Tewindrow.

– Nessuno m'ha ferito con la lancia, – disse Tegumai. – Il mio solo visitatore questa mattina è stato quel povero disgraziato che tentate di soffocare. Non state bene, o vi sentite male, o Tribù di Tegumai?

– Egli venne con un orribile quadro, – disse il Capo dei Capi, – un quadro che ti mostrava pieno di lance.

– Ah.... eh.... Forse farei meglio a spiegare che gli diedi io quel quadro, – disse Taffy: ma non si sentiva gran che fiduciosa.

– Tu! – disse la Tribù di Tegumai tutta insieme. – Personcinachenonhanessunaeducazioneechemeriterebbediessereabttuta!

– Cara Taffy, ho paura che siamo in un bell'impiccio, – le disse il padre mettendole un braccio intorno al suo.

– Spiega! Spiega! Spiega! – disse il Capo principale della Tribù di Tegumai, saltando su un piede.

– Io volevo che lo straniero andasse a prendere l'arpione di papà, e perciò feci il disegno. Non volli fare un gruppo di arpioni, ma un arpione solo. Lo disegnai tre volte per maggiore sicurezza. Non mi riuscì di farlo, senza far parere che entrasse nella testa di papà.... non v'era posto nella scorza di betulla; e quei pupazzi, che la mamma chiama gente cattiva, sono castori. Disegnai i castori per indicar la via a traverso la palude; e disegnai la mamma all'ingresso della caverna con aspetto lieto alla vista dello Straniero, che è tanto cortese, mentre voi siete la più stupida gente di questo mondo, – disse Taffy. – È un uomo buonissimo. Perchè gli avete infangato i capelli? Lavatelo!

Per qualche tempo nessuno disse nulla; ma poi il Capo dei Capi rise; e lo Straniero (che per lo meno era un Tewara) rise: e Tegumai rise fino a cader prono sulla riva; poi tutta la Tribù rise ancor più, e peggio e più forte. Le sole persone che non risero furono Teshumai Tewindrow e tutte le signore Neolitiche, che erano molto cortesi con tutti i loro mariti, e dicevano molto spesso "Idiota!".

Poi il Capo dei Capi della Tribù di Tegumai gridò e disse e cantò: "O-personcina-senza-educazione-che-meriterebbe-d'esser-battuta, tu hai fatto una grande invenzione".

– Non l'ho fatta apposta: io volevo soltanto l'arpione dal manico nero.

– Non importa. È sempre una grande invenzione, e un giorno gli uomini la chiameranno scrittura. Per ora si tratta soltanto di disegni, e, come oggi abbiamo veduto, i disegni non sempre son compresi a puntino. Ma verrà un tempo, o Figliuola di Tegumai, quando noi faremo le lettere – da venti a ventisei lettere – e potremo leggere e scrivere, e intendere ciò che si vuol dire senza ombra d'errore. Che le signore Neolitiche lavino dal fango i capelli dello Straniero.

– Sarò molto contenta, – disse Taffy, – perchè, dopo tutto, sebbene voi abbiate portate tutte le lance della Tribù di Tegumai, avete dimenticato proprio l'arpione dal manico nero del mio caro papà.

Allora il Capo dei Capi gridò, disse e cantò: "Cara Taffy, la prossima volta che scriverai una lettera figurata, farai meglio a mandare un uomo che conosca il nostro linguaggio, in modo che possa spiegare ciò che essa significa. Non dico per me, perchè io sono Capo dei Capi, ma è malissimo per il resto della Tribù di Tegumai, e, come tu puoi vedere, peggio ancora per lo Straniero".

Allora lo Straniero (vero Tewara di Tewar) fu adottato dalla Tribù di Tegumai, perchè era un gentiluomo e non aveva strepitato a cagion del fango gettatogli sui capelli dalle signore Neolitiche. Ma da quel giorno ad oggi (e credo tutto per colpa di Taffy) pochissime fanciulle hanno imparato con piacere a leggere e a scrivere. La maggior parte preferiscono scarabocchiare delle figure e andare a passeggio col papà, proprio come Taffy.

COME FU COMPOSTO L'ALFABETO

La settimana dopo che Taffimai Tallumai (per brevità la chiameremo ancora Taffy) ebbe commesso quell'errore intorno all'arpione di suo padre e allo Straniero e alla lettera disegnata e al resto, essa andò di bel nuovo a pescare col papà. La mamma voleva farla rimanere a casa per farsi dare una mano nel mettere ad asciugare le pelli sui pali, innanzi alla Caverna Neolitica, ma Taffy molto di buon'ora se l'era svignata per andare a raggiungere il babbo ed era con lui che pescava. A un tratto essa cominciò a ridere e a ghignare, e il papà le disse: "Non far la sciocca, piccina!"

– Come? non fu un bellissimo spettacolo? – disse Taffy. – Non ricordi come il Capo dei Capi gonfiava le guance e come quel gentile Straniero era buffo coi capelli infangati?

– Lo ricordo purtroppo! M'è toccato di pagare allo Straniero due pelli di daino – due pelli morbide con le frange – per ciò che gli fu fatto da noi.

– Noi non gli facemmo nulla, – disse Taffy. – Fu la mamma con le altre signore Neolitiche... e il fango.

– Non ne parliamo più, – disse il padre, – e facciamo colazione.

Taffy prese un osso col midollo e stette quieta come un topolino per dieci interi minuti, mentre il padre scalfiva dei pezzi di scorza di betulla con un dente di pescecane. Poi essa disse:

– Papà, ho pensato a un segreto. Tu fa un suono.... qualunque suono.

– Ah ! – disse Tegumai. – Va bene così?

– Sì, – disse Taffy. – Sembri un carpione con la bocca aperta. Per piacere, ripetilo.

– Ah! ah! ah! – disse il papà. – Non essere noiosa, figlia mia.

– Veramente non intendo d'esser noiosa – disse Taffy. – Questo fa parte del mio segreto. Di' ah! papà, e tieni la bocca aperta alla fine e prestami cotesto dente. Voglio disegnare una bocca di carpione spalancata.

– Perchè? – disse il papà.

– Non vedi? – disse Taffy, mettendosi a incidere una scorza. – Sarà il nostro piccolo segreto. Quando io disegnerò – se la mamma lo permette – sulla fuliggine in fondo alla nostra caverna un carpione con la bocca aperta, ti ricorderai di questo suono di ah. Allora potremo fingere che io esca dal buio e ti faccia paura con quel suono, come facevo l'inverno scorso nella palude dei castori.

– Veramente? – disse il papà, con quel tono degli adulti che si mettono ad ascoltare attentamente. – Continua, Taffy.

– È una disdetta! – essa disse; – non riesco a disegnare un carpione intero, ma solo a fare uno scarabocchio che vuole essere una bocca di carpione. Sai come essi si levano sulla testa, ficcandola nel limo? Bene, ecco una sembianza di carpione (figuriamo che il resto sia disegnato). Ecco la bocca, e la bocca significa ah. Ed essa fece questa figura.

– Non c'è male, – disse Tegumai e scalfì per conto suo una sua scorza, – ma tu hai dimenticato il tentacolo che il carpione ha attraverso la bocca.

– Ma io non so disegnare, papà.

– Non occorre disegnare altro che l'apertura della bocca e il tentacolo che l'attraversa. Allora si conosce che è un carpione, perchè il pesce persico e le trote non l'hanno. Guarda qui, Taffy. E fece questa figura.

– Lasciamelo copiare, – disse Taffy. – Quando lo vedrai, lo capirai? – e fece questa figura.

– Perfettamente – disse il papà. – E ne sarò così sorpreso, dovunque lo vedrò, che mi parrà di vederti uscire di dietro un albero e strillare "Ah!".

– Ora, fa un altro suono – disse Taffy, inorgoglita.

– Yah! – disse il papà, molto forte.

– Uhm! – disse Taffy. – È un suono misto. L'ultima parte è l'ah della bocca di carpione; ma che fare della prima? Yer yer yer e ah! Yah!

– È somigliantissimo al suono della bocca di carpione. Disegniamo un altro pezzo del carpione, e mettiamoli insieme – disse il papà. Anche lui s'era accalorato.

– No, se sono congiunti, li dimenticherò. Disegnali separatamente. Disegniamo la coda. Se esso si rizza sulla testa, la coda si vede prima. E poi la coda posso disegnarla più facilmente – disse Taffy.

– Hai ragione – disse Tegumai – Ecco una coda di carpione per il suono di yer. – E fece questa figura.

– Ora proverò io, – disse Taffy. – Ricorda, papà, che io non so disegnare come te. Se io farò la parte formata della coda, e tirerò una linea sotto la congiunzione, non andrà bene? – E fece questa figura.

Il papà accennò di sì con gli occhi lucenti di compiacenza.

– È bello – essa disse. – Ora fa un altro suono, papà.

– Oh – disse il papà, molto forte.

– Questo è facile – disse Taffy. – Tu fai la bocca tonda tonda come un uovo o un sassolino. Basterà un uovo o un sassolino.

– Non potrai sempre avere a tua disposizione delle uova. Incideremo sulla scorza qualche cosa di rotondo che somigli alle uova. E fece questa figura.

– Mamma mia! – disse Taffy. – Quanti segni di suoni abbiamo fatto: bocca di carpione, coda di carpione, e un uovo. Ora, fa un altro suono, papà.

– Sss! – fece il papà, e aggrottò le ciglia, come per meditare; ma Taffy era così esaltata, che non ci badò più che tanto.

– È facilissimo, – essa disse incidendo la scorza.

– Che cosa? – disse il papà – Io intendevo di pensare un poco, e non volevo essere disturbato.

– È un suono anch'esso. È il suono che fa il serpe, papà, quando pensa e non vuole essere disturbato. Per il suono di sss! facciamo un serpe. Va bene così? – E fece questa figura.

– Ecco – essa soggiunse. – È un altro segreto. Quando accanto alla porticina in fondo alla caverna dove accomodi gli arpioni, disegnerai il serpe, io saprò che tu stai pensando, ed entrerò quieta come un topolino. E se lo disegnerai su un albero in riva al fiume, quando stai pescando, saprò che tu vuoi che io cammini senza far rumore, e senza far tremare la sponda.

– Appunto così – disse Tegumai. – E in questo giuoco c'è più di quanto tu immagini. Cara Taffy, ho qui in testa che la figliuola del tuo papà abbia messo le mani sulla più bella cosa che fu mai inventata da quando la Tribù di Tegumai cominciò ad usare i denti di pescecane, invece delle selci, per fare le punte degli arpioni. Io credo che abbiamo scoperto il gran segreto del mondo.

– Perchè? – disse Taffy, con gli occhi lucenti d'entusiasmo.

– Te lo mostrerò – disse il papà. – Come si chiama l'acqua nel linguaggio Tegumai?

– Ya, naturalmente, e significa anche fiume, come Wagai Ya, il fiume Wagai.

– Come si chiama l'acqua cattiva che ti dà la febbre, se la bevi – l'acqua nera – l'acqua delle paludi?

– Yo, naturalmente.

– Ebbene, guarda – disse il papà. – Supponi di vedere inciso questo presso una pozzanghera nella palude dei castori? – E fece questa figura.

– Coda di carpione e uovo tondo. Due suoni misti. Yo, acqua cattiva – disse Taffy. – Naturalmente, io non berrei l'acqua, perchè saprei che tu dici che è cattiva.

– Ma non occorre affatto che io sia vicino all'acqua. Io potrei esser lontano miglia miglia, a caccia, e pure....

– E pure sarebbe lo stesso come se tu stessi lì e dicessi: "Scappa, Taffy, o piglierai la febbre". E tutto in una coda di carpione e in un ovetto tondo. O papà, dobbiamo dirlo subito alla mamma! – E Taffy si mise allegramente a ballare.

– Non ancora; – disse Tegumai, – se non abbiamo fatto qualche cosa di più. Vediamo. Yo è l'acqua cattiva, ma so è cibo cotto al fuoco, non è vero? – E fece questa figura.

– Sì. Il serpe e l'uovo – disse Taffy. – Così che questo significa: il desinare è pronto. Se lo vedi inciso su un albero, sai che è tempo di tornare alla Caverna. E anch'io lo stesso.

– Perdinci, – disse Tegumai. – È vero. Ma aspetta un minuto.... C'è una difficoltà. So significa "vieni a desinare", ma sho vuol dire i pali dove si asciugano le pelli.

– Maledetti pali! – disse Taffy. – Li odio perchè debbo aiutare la mamma a stendervi le pelli brutte e pelose. Se tu disegnassi il serpe e l'uovo, ed io pensassi di dover venire a desinare, e trovassi invece, uscendo dal bosco, che debbo aiutare la mamma a stender le pelli su i pali per asciugarle, che cosa dovrei fare?

– Ti dispiacerebbe. E anche alla mamma. Noi dobbiamo fare una figura diversa per indicare sho. Dobbiamo disegnare un serpe macchiettato che fa shsh fischiando, e ritenere che il serpe non macchiettato faccia soltanto sss.

– Non ci saprei far le macchie io, – disse Taffy. – E forse anche tu, se avessi fretta, non ce le metteresti, e io lo crederei un so se fosse sho, e la mamma m'acchiapperebbe lo stesso. No, per non sbagliare, sarà meglio disegnare addirittura quei maledetti pali. Li metto subito appresso al serpe che fischia. Guarda. – E fece questa figura.

– Forse è meglio. Sembrano proprio i nostri pali – disse ridendo il papà. – Ora farò un nuovo suono col serpe e i pali. Dico shi. In Tegumai significa arpione, Taffy. – E rise.

– Non burlarmi, – disse Taffy, come se pensasse alla sua lettera figurata e al fango nei capelli dello Straniero. – Disegnalo, papà.

– Non ci son castori sulla collina, questa volta, eh? – disse il padre. – Disegno una linea dritta per fare l'arpione. – E fece questa figura. – Neanche la mamma potrebbe sbagliare e credere che io sia stato ucciso.

– Non scherzare, papà.... mi fai dispetto. Fa altri suoni. Si va avanti benissimo.

– Eh! – disse Tegumai, raccogliendosi. – Diciamo shu. Questo significa cielo.

Taffy fece il serpe e il palo. Poi si fermò.... Si deve fare un'altra figura per l'ultimo suono, non è vero?

– Shushuuuu! – disse il papà. – Ebbene, è proprio come il suono assottigliato dell'uovo.

– Allora disegniamo un tondo d'uovo sottile sottile, e figuriamo che sia una rana che da anni non abbia assaggiato cibo.

– N.... no, – disse il padre. – A farlo in fretta potremmo scambiarlo per lo stesso torlo d'uovo. ShuShuShu! Ecco ciò che farò. Aprirò un buchetto alla fine del tondo d'uovo per mostrare come il suono d'O se n'esca sottile sottile. Così. – E fece questa figura per rappresentare l'o sottile cioè l'u.

– Grazioso. Molto meglio d'una rana magra. Continua – disse Taffy, premendo sul suo dente di pescecane.

Il papà continuò a disegnare e la mano per commozione gli tremava. Continuò finchè ebbe finita questa figura.

– Non ti distrarre, Taffy, – egli disse. – Prova a capire ciò che significa in Tegumai. Se lo capisci, il segreto è bell'e scoperto.

– Serpe.... palo.... uovo rotto.... coda di carpione e bocca di carpione, – disse Taffy. – Shuya. Acqua di cielo (pioggia). – Appunto in quel momento una goccia le cadde sulla mano, chè il cielo s'era tutto rannuvolato. – Ebbene, papà, piove. È questo che volevi dirmi?

– Appunto, – disse il papà – e vedi, te l'ho detto senza pronunziare una parola.

– Bene, credo che l'avrei capito subito, ma questa goccia me ne ha dato la certezza. Me ne ricorderò sempre. Shuya significa pioggia o sta per piovere. Benissimo, papà. – Essa si levò in piedi e gli danzò d'intorno. – Così se tu uscissi prima che io fossi sveglia, e tu avessi disegnato Shuya nella fuliggine sul muro, io saprei che piove o sta per piovere e non mi dimenticherei il cappuccio di pelle di castoro. La mamma ne sarebbe stupita.

Tegumai si levò in piedi e si mise a danzare (i padri allora non erano così seri e gravi come quelli d'adesso).

– Meglio ancora! Meglio ancora! – egli disse. – Se ti voglio dire che non pioverà molto e che bisogna che tu venga giù al fiume, che figure bisogna fare? Di' prima le parole in Tegumai.

– Shuyalas, ya maru. (Spiove. Vieni al fiume). Quanti suoni nuovi! Non so come si possa disegnarli.

– Ma io sì.... ma io sì! – disse Tegumai. – Un altro minuto solo, Taffy, e poi per oggi basterà. Noi, dunque, sappiamo come fare shuya; ma quel che ci secca è il las; – e brandì il suo dente di pescecane.

– C'è il serpe in ultimo e la bocca di carpione prima del serpe.... asasas. Ci manca solo lala, – disse Taffy.

– Lo so, ma noi dobbiamo farlo questo la. E noi siamo le prime persone al mondo che si provino a farlo, Taffy.

– Bene, – disse Taffy, sbadigliando, perchè era piuttosto stanca. – Las significa rompere o finire o troncare.

– Appunto, – disse Tegumai. – Yolas significa che la mamma per cucinare non ha più acqua nel serbatoio; e questo avviene quasi sempre nel momento che io sto per andare a caccia.

– E Shylas significa che il tuo arpione è rotto. Se ci avessi pensato, quando stavo disegnando le figure dei castori per lo straniero!...

– La!La!La! –disse Tegumai, agitando il bastone e aggrottando la fronte.

– Avrei potuto disegnare shi facilissimamente – continuò Taffy. – Avrei disegnato il tuo arpione rotto.... in questo modo. – E fece questa figura.

– Benissimo. È quello che ci vuole – disse Tegumai. – Il la è bell'e fatto. E non somiglia a nessun'altra figura. – E fece questa.

– Ora Ya. Oh, ma l'abbiamo già fatto. Ora maru. Mummummum. Mum fa chiudere sempre la bocca, non è vero? Disegniamo una bocca chiusa, come questa.– E la fece.

– Poi la bocca di carpione aperta, e fa mamama. Ma come fare questo rrrrr, Taffy?

– Esso ha un suono stridente e aguzzo, come il dente di pescecane quando taglia una tavola per la piroga, – disse Taffy.

– Tu vuoi dire tutto punte agli orli, come questa, – disse Tegumai, mostrando la figura che aveva disegnata.

– Proprio! – disse Taffy – ma non servono tutti quei denti: bastano due.

– Ne metterò soltanto uno, – disse Tegumai. – Se questo nostro giuoco diventerà ciò che credo dovrà diventare, più facili si fanno le figure dei suoni, e meglio sarà per tutti. – E fece questa figura.

– Ed ora è fatta, – disse Tegumai, poggiandosi su una gamba. – Ed ora le disegnerò tutte in fila, come pesci.

– Non sarebbe meglio se tu mettessi un pezzettino di legno o qualche altra cosa fra ogni parola, in modo che non si urtino l'un l'altra, e non s'ammassino, proprio come se fossero carpioni?

– Oh, lascerò un po' di spazio, – disse il padre. – E con grande entusiasmo le disegnò tutte senza fermarsi, su una nuova grande scorza di betulla.

– Shuyalasyamaru – disse Taffy compitando suono per suono.

– E per oggi basta – disse Tegumai. – Tu sei stanca, Taffy. Finiremo domani, cara, e il nostro lavoro sarà ricordato per anni e anni dopo che i più grossi alberi che tu puoi vedere saranno tutti abbattuti e inceneriti.

Così andarono a casa, e per tutta la sera Tegumai sedette a un canto del fuoco e Taffy all'altro, disegnando dei ya dei yo e shu e shi sulla fuliggine del muro e sogghignando di piacere insieme, finchè la mamma disse: "Veramente Tegumai, tu sei peggio di Taffy".

– Per piacere, non avertelo a male, – disse Taffy. – È un segreto, mamma cara, e te lo diremo subito, appena tutto sarà in ordine; ma, per piacere, ora non domandarmi di che si tratta; se no, te lo debbo dire.

Così la mamma si guardò bene dal domandar nulla, e la mattina dopo, il sollecito Tegumai si recò al fiume a pensare nuove figure di suoni e quando Taffy si levò vide Yalas (l'acqua finisce) fatto col gesso sul grosso serbatoio di pietra, fuori della Caverna.

– Uhm! – disse Taffy. – Queste figure di suoni mi pare che siano piuttosto una seccatura. È proprio come se papà fosse venuto lui in persona a dirmi di attingere l'acqua perchè la mamma cucini. – Essa andò alla sorgente dietro la casa, empì il serbatoio con un secchio di scorza, e poi corse giù al fiume a tirare l'orecchio sinistro di papà, quello che le era permesso di tirare quando era stata buona.

– Vieni qui e facciamo le altre figure dei suoni, – disse il papà. E passarono una bellissima giornata, e fecero a mezzogiorno una bella colazione e due partite a mosca cieca. Quando giunsero al T, Taffy disse che, siccome il suo nome, quello di papà e quello della mamma cominciavano con lo stesso suono, si doveva disegnare una specie di gruppo di famiglia che si tenesse per la mano. Questo andò bene a disegnarlo una volta o due volte; ma alla sesta o settima volta, Taffy e Tegumai lo scarabocchiavano sempre più rapidamente, finchè il suono di T diventò solo un Tegumai lungo e sottile con le braccia distese per tenere Taffi e Tegumai. Si può vedere da queste tre figure parte di ciò che accadde.

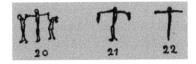

Molte delle altre figure erano bellissime prima di colazione, ma siccome furono disegnate per parecchie volte ancora sulla scorza di betulla, divennero sempre più semplici e più facili, finchè anche Tegumai disse che in esse non vedeva difetto alcuno. Il serpe sibilante fu voltato dall'altro lato per il suono di Z, per mostrare che all'indietro sibilava in maniera dolce e gentile; fu fatto per l'E uno svolazzo perchè capitava molto spesso nelle figure;

e furono fatte immagini del sacro Castoro dei Tegumai per il suono di B

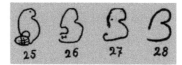

e perchè era un brutto suono nasale, fu fatto, fino a stancarsi, un naso per il suono di N;

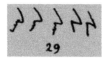

fu fatta la gola del grosso luccio dei laghi per il ga che è un suono di golosi ; fu ridisegnata la gola del luccio con un arpione a traverso per il ka, che gratta e punge;

fu disegnato un cantuccio sinuoso del fiume Wagai, per il bel suono sinuoso di Wa; e così di seguito finchè non furono fatte e disegnate tutte le figure di suoni delle quali essi avevano bisogno, e l'alfabeto fu completo.

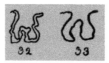

E dopo migliaia e migliaia d'anni, e dopo i Geroglifici, i Demotici, e i Nilotici, e i Criptici, e i Cufici, e i Runici, e i Dorici, e i Ionici e molti altri tici e rici (perchè i Woons, e i Negus, e gli Akhoonds, e i depositari delle Tradizioni non rispettano mai una cosa buona quando la trovano); il bello facile, vecchio comprensibile Alfabeto: A, B, C, D, E, ecc., ecc. – riprese la sua vecchia forma perchè tutti i piccini potessero impararlo, quando fossero abbastanza grandi. Ma lasciate che io ricordi Tegumai Bopsulai e Taffimai Metallumai e Teshumai Tewindrow, la sua cara mamma, e tutto il tempo trascorso. E fu così, proprio così, nei tempi remoti, sulle rive del grande Wagai.

L'alfabeto fu completo....

IL GRANCHIO CHE GIOCAVA COL MARE

Prima dei vecchi e remotissimi tempi era il tempo dei primi principii. Era quando il vecchissimo Mago preparava le cose. Prima egli preparò la terra, poi il mare, e poi disse a tutti gli animali che potevano uscire a giocare. E gli animali dissero: "O vecchissimo Mago, a che giocheremo?" ed egli disse: "Ve lo insegnerò". Allora prese l'Elefante, Tutto-l'Elefante-che-c'era e disse: "Gioca all'Elefante"; e Tutto-l'Elefante-che-c'era giocò all'elefante. Prese il Castoro, Tutto-il-Castoro-che-c'era, e disse: "Gioca al castoro"; e Tutto-il-Castoro-che-c'era giocò al castoro. Prese il Bue, Tutto-il-Bue-che-c'era e disse: "Gioca al bue"; e Tutto-il-Bue-che-c'era giocò al bue. Prese la Testuggine, Tutta-la-Testuggine-che-c'era e disse: "Gioca alla testuggine"; e la Testuggine, Tutta-la-testuggine-che-c'era giocò alla testuggine. Prese ad una ad una tutte le bestie e gli uccelli e i pesci e insegnò loro il gioco che dovevano giocare.

Ma verso sera, quando le bestie e le cose erano stanche, apparve l'uomo (con la donna sua figliuola che gli sedeva su una spalla) e disse: "Che gioco è questo, vecchissimo Mago?" E il vecchissimo Mago disse: "O figlio d'Adamo, questo è il giuoco dei primi principii; ma tu sei troppo sapiente per questo giuoco". E l'uomo salutò e disse: "Sì, io sono troppo sapiente per questo giuoco; ma tu fa in modo che tutti gli animali mi ubbidiscano".

Ora, mentre i due parlavano, Pau Amma il granchio, che doveva fra poco giocare il suo gioco, corse via di sbieco e si tuffò in mare, dicendo fra sè: "Io giocherò solo il mio gioco nelle acque profonde, e non ubbidirò a questo figlio d'Adamo". Nessuno lo vide fuggire, tranne la donna che si appoggiava alla spalla dell'uomo. E il giuoco continuò, e non ci fu animale che non giocasse il suo; e il vecchissimo Mago si nettò le mani dalla polvere e viaggiò intorno al mondo per veder come gli animali giocassero il loro gioco.

Andò a settentrione e trovò Tutto-l'Elefante-che-c'era che scavava con le zanne e rassodava con le zampe la terra nuova e pulita preparata per lui.

– Kun? – disse Tutto-l'Elefante-che-c'era intendendo: "Va bene?"

– Payah kun, disse il vecchissimo Mago, intendendo: "Va benissimo"; e respirò sulle grandi rocce e i grandi ammassi di terra, accumulati da Tutto-l'Elefante-che-c'era; ed essi diventarono le grandi montagne dell'Imalaia; e voi potete vederle sulla carta.

Egli andò ad oriente e trovò Tutto-il-Bue-che-c'era che pascolava sul prato preparato per lui, e d'una foresta faceva un solo boccone per volta, la ingoiava e poi si sdraiava a ruminare.

– Kun? – diceva il Bue.

– Payah kun, – diceva il vecchissimo Mago; e respirava sulla terra denudata dove Tutto-il-Bue-che-c'era aveva mangiato e sul punto dove s'era sdraiato, e la prima diventò il gran Deserto indiano, e l'altro diventò il Deserto di Sahara, e voi potete vederli sulla carta.

Poi andò ad occidente e trovò Tutto-il-Castoro-che-c'era che faceva una diga alle foci dei grandi fiumi preparati per lui.

– Kun? – fece Tutto-il-Castoro-che-c'era.

– Payah kun, – fece il vecchissimo Mago; e respirò sugli alberi caduti e sulle acque calme, e si formò la penisola d'Everglades nella Florida, e voi potete vederla sulla carta.

Poi andò a mezzogiorno e trovò Tutta-la-Testuggine-che-c'era che graffiava con le unghie sulla sabbia preparata per essa, e la sabbia e le rocce turbinavano in aria e cadevano lontano nel mare.

– Kun? – disse Tutta-la-Testuggine-che-c'era.

– Payah kun, – disse il vecchissimo Mago; e respirò sulla sabbia e le rocce cadute nel mare, e si formarono le bellissime isole di Borneo, Celebes, Sumatra, Giava, e le altre dell'arcipelago malese; e potete vederle sulla carta.

Allora il vecchissimo Mago incontrò l'uomo sulle rive del fiume Perak, e gli disse:

– O figlio d'Adamo, t'ubbidiscono tutti gli animali?

– Sì, – disse l'uomo.

– E tutta la terra ti ubbidisce?

– Sì, disse l'uomo.

– E tutto il mare ti ubbidisce?

– No, – disse l'uomo.

– Una volta durante il giorno e una volta durante la notte, il mare corre sul fiume Perak e ricaccia l'acqua dolce sulla foresta, e la mia casa si bagna; una volta durante il giorno e una volta durante la notte il mare si ritira dal fiume, trascinandosi dietro tutta l'acqua, e non lascia che fango, e mi rovescia la piroga. È questo il gioco che gli hai detto di giocare?

– No, – disse il Mago – questo è un nuovo e brutto gioco!

– Guarda! – disse l'uomo, e mentre parlava il gran mare saliva verso la foce del fiume Perak, ricacciandolo indietro, finchè si sparse sulle oscure foreste per miglia e miglia e inondò la casa dell'uomo.

– Questo è male. Prendi la piroga e noi scopriremo chi gioca col mare disse il vecchissimo Mago.

Essi entrarono nella piroga; la donna-figliuola era con loro; e l'uomo prese il kris – una lama curva e ondeggiante come una fiamma; – e s'avanzarono nel fiume Perak. Poi il mare cominciò a ritirarsi, e la piroga fu assorbita fuor della foce del fiume Perak, oltre Selangor, oltre Malacca, oltre Singapore, lontano lontano fino all'isola di Bintang, come se fosse tirata da una corda.

Allora il vecchissimo Mago si alzò e gridò:

– Ohi, bestie, uccelli e pesci, che io tenni fra le mani nel primo principio, e ai quali insegnai il gioco che dovevano giocare, chi di voi gioca col mare?

Allora tutte le bestie, gli uccelli e i pesci, dissero in coro:

– Vecchissimo Mago, noi giochiamo i giochi che tu ci hai insegnato a giocare: noi e i figli dei nostri figli. Ma nessuno di noi gioca col mare.

Allora la luna si levò enorme sull'acqua e il vecchissimo Mago disse al vecchio che sta nella luna a filare la lenza con la quale spera un giorno di acchiappare il mondo: – O pescatore della luna, sei tu che giochi col mare?

– No, – disse il pescatore – io filo la lenza con la quale spero un giorno d'acchiappare il mondo; ma io non gioco col mare.

E continuò a filare la lenza.

Ora vi è pure un sorcio nella luna che sempre rode la lenza del pescatore appena è filata, e il vecchissimo Mago gli disse:

– Oh! sorcio della luna, sei tu che giochi col mare?

E il sorcio disse: – Sono troppo occupato a rodere la lenza che il vecchio pescatore fila. Io non gioco col mare.

E continuò a rodere la lenza.

Allora la donna-figliuola levò le piccole braccia morbide e belle cinte di braccialetti di conchiglie bianche, e disse:

– O vecchissimo Mago! Quando mio padre ti parlò nel primo principio e io m'appoggiavo alla sua spalla, mentre s'insegnava alle bestie il loro gioco, una bestia filò di sbieco nel mare prima che tu le insegnassi il suo gioco.

E il vecchissimo Mago disse:

– Come son saggi i figliuoli che veggono e tacciono. Com'era quella bestia?

E la bambina-figlia disse:

– Era rotonda ed era piatta; aveva gli occhi su dei picciuoli; e camminava di fianco, così, e aveva il dorso coperto d'una robusta corazza.

E il vecchissimo Mago disse: – Come sono savii i figliuoli che dicono la verità! Ora so dove è andato Pau Amma. Dov'è il remo?

Così egli prese il remo; ma non era necessario remare, perchè l'acqua corse prontamente oltre tutte le isole, finchè giunse al punto chiamato Pusat Tasek – il cuore del mare – dov'è il gran buco che conduce al cuore del mondo, e in quel buco cresce l'albero meraviglioso, il Paujauggi, che fa le magiche noci binate. Allora il vecchissimo Mago immerse il braccio fino alla spalla nella tepida e profonda acqua, e sotto le radici dell'albero meraviglioso toccò il largo dorso di Pau Amma il Granchio. E Pau Amma si acquattò all'urto, e il mare si sollevò, come si solleva l'acqua in un catino quando vi si immerge la mano.

– Ah! – disse il vecchissimo Mago. – Ora io so chi giocava col mare; e gridò: – Che fai, Pau Amma?

E Pau Amma rispose dal profondo:

– Una volta il giorno e una volta la notte, esco a cercarmi il cibo. Una volta il giorno e una volta la notte, io ritorno. Lasciami in pace.

Allora il vecchissimo Mago disse:

– Ascolta, Pau Amma. Quando esci dalla tana, le acque del mare si versano nel Pusat Tasek, e tutte le rive di tutte le isole son lasciate scoperte e i piccoli pesci muoiono, e Raja Moyang Kaban, il re degli Elefanti, s'infanga le gambe. Quando ritorni e te ne stai nel Pusat Tasek, le acque del mare si sollevano, e le piccole isole sono a metà sommerse, e la casa dell'uomo è inondata, e a Raja Abdullah, il re dei Coccodrilli, si empie la bocca di sale.

Allora Pau Amma rise nel profondo e disse:

– Non sapevo d'esser così importante. D'ora innanzi uscirò sette volte al giorno, e le acque non staranno mai ferme.

E il vecchissimo Mago disse:

– Io non posso lasciarti giocare il gioco ch'eri destinato a giocare, Pau Amma, perchè mi sfuggisti nel primo principio; ma se non hai paura, vieni su e discuteremo.

– Io non ho paura – disse Pau Amma, e si levò sul sommo del mare, nel chiaror della luna. Non v'era nessuno al mondo maggiore di Pau Amma, perchè era il Granchio re, il re di tutti i Granchi. Un lato del suo guscio toccava la spiaggia di Sarawak; l'altro toccava la spiaggia di Pahang; ed egli era più alto del fumo di tre vulcani. Siccome s'arrampicò per i rami dell'albero meraviglioso, staccò uno dei grandi frutti binati – le magiche noci a doppio guscio che ridanno la gioventù; – e la donnafigliuola, che lo vide spenzolarsi lungo la piroga, lo trasse dentro, e cominciò a cavargli i dolci occhi con le sue piccole cesoie d'oro.

– Ora, – disse il Mago, – fa un incantesimo, Pau Amma, per dimostrare che sei veramente importante.

Pau Amma girò gli occhi e agitò le gambe, ma non potè muovere il muso, perchè sebbene fosse un Granchio re, non era niente più di un Granchio, e il vecchissimo Mago rise.

– Tu non sei così importante, dopo tutto, Pau Amma, – egli disse. – Ora lascia che tenti io; e fece un incantesimo con la sinistra; precisamente col mignolo della sinistra, ed ecco fatto: a Pau Amma cadde dal dorso il guscio verde nericcio, come quello d'una noce di cocco, e Pau Amma rimase tutto molle, molle come i piccoli Granchi che qualche volta voi acchiappate sulla spiaggia.

– Veramente tu sei molto ignorante – disse il vecchissimo Mago. – Debbo dire all'uomo di tagliarti col suo kris? Debbo mandare a chiamare Raja Moyang Kaban, il re degli Elefanti, per farti trafiggere con le sue zanne? Chiamerò Raja Abdullah, il re dei Coccodrilli, che ti faccia a brani?

E Pau Amma disse

– Mi vergogno! Ridammi il guscio e che io ritorni al Pusat Tasek. Uscirò solo una volta al giorno e una volta la notte a cercarmi il cibo.

E il vecchissimo Mago disse:

– No, Pau Amma, io non ti restituirò il guscio, perchè diventeresti più grande, più orgoglioso e più forte, e forse dimenticheresti la tua promessa, e giocheresti col mare ancora una volta. Allora Pau Amma disse:

– Che farò? Sono così grosso che non posso nascondermi che nel Pusat Taseck. Se andassi altrove molle come sono ora, sarei mangiato dai pescecani. E se io vado nel Pusat Tasek, così molle come sono divenuto, sebbene ritirato al sicuro, io non potrò uscire e procacciarmi il cibo, e morirò.

E così dicendo agitò le gambe, gemendo.

– Ascolta, Pau Amma – disse il vecchissimo Mago. – Io non posso farti giocare il gioco che dovevi giocare, perchè tu mi scappasti nel primo principio, ma se tu vorrai potrò fare di ogni pietra e d'ogni buco, e d'ogni ciuffo d'erba in tutti i mari un Pusat Tasek sicuro per te e tutti i tuoi figli per sempre.

Allora Pau Amma disse:

– Bene, ma non voglio ancora. Guarda!... Ecco l'uomo che ti parlò nel primo principio. Se egli non avesse attirato la tua attenzione, io non mi sarei stancato d'aspettarti e non sarei scappato, e tutto questo non sarebbe accaduto. Che farà egli per me?

E l'uomo disse:

– Se tu vorrai io farò un incantesimo, in modo che così l'acqua profonda, come la terra arida saranno una casa per te e per i tuoi figli; e ti potrai nascondere tanto sulla terra quanto nel mare.

E Pau Amma disse:

– Io non voglio ancora. Guarda! Ecco la fanciulla che mi vide scappare nel primo principio. Se essa avesse parlato allora, il vecchissimo Mago mi avrebbe richiamato, e tutto questo non sarebbe accaduto. Che farà essa per me?

E la fanciulla disse:

– Questa è la noce di cocco che sto mangiando. Se tu vorrai, farò un incantesimo, e ti darò questo paio di forbici, molto taglienti e forti, così che tu e i tuoi figli potrete mangiare delle noci come questa durante il giorno quando verrete dal mare alla terra; o ti potrai scavare un Pusat Tasek da te solo con queste cesoie che ti apparterranno, quando non vi sarà pietra o buco vicino; e quando la terra sarà troppo dura, con l'aiuto di queste stesse cesoie ti potrai arrampicare sugli alberi.

E Pau Amma disse: – Io non voglio ancora, perchè così molle come sono, cotesti regali non mi gioverebbero. Ridammi il guscio, o vecchissimo Mago, e poi giocherò il tuo gioco.

E il vecchissimo Mago disse:

– Te lo restituirò, Pau Amma, per undici mesi dell'anno, ma il dodicesimo mese diventerai molle di nuovo, per rammentare a te e ai tuoi figli che io posso fare gl'incantesimi, e tenerti umile, Pau Amma; giacchè veggo che se tu puoi stare sulla terra e nel mare, diverrai troppo superbo; e se ti arrampicherai sugli alberi e schiaccerai noci e scaverai buchi con le tue cesoie, diverrai troppo ingordo, Pau Amma.

Allora Pau Amma pensò un poco e disse:

– Ho deciso. Prenderò tutti i doni.

Allora il vecchissimo Mago fece un incantesimo con la mano destra, con tutte le cinque dita della mano destra, e immediatamente Pau Amma diventò più piccolo e più piccolo e più piccolo, finchè alla fine egli fu soltanto un minuscolo granchio verde che nuotava nell'acqua lungo il canotto, gridando con esile voce: "Datemi le cesoie".

E la donnafigliuola, raccogliendolo nella palma della piccola mano, lo depose sul fondo della piroga e gli diede le cesoie, ed egli le agitò nelle sue piccole braccia, e le aprì e le chiuse, e le fece scattare e disse:

– Io posso mangiar noci; io posso schiacciare gusci; io posso scavare buchi; io posso arrampicarmi sugli alberi; io posso respirare nell'aria asciutta, ed io posso trovare un Pusat Tasek sicuro sotto ogni pietra. Io non sapevo d'essere così importante. Kun? (Va bene?)

– Payah kun, – disse il vecchissimo Mago, e rise, e gli diede la sua benedizione, e il piccolo Pau Amma saltò dall'orlo della piroga nell'acqua; ed era così sottile da potersi nascondere sotto l'ombra d'una foglia in terra o d'un guscio morto in fondo al mare.

– Sei contento così? – disse il vecchissimo Mago.

– Sì, – disse l'uomo – ma ora dobbiamo ritornare a Perak. È duro remare fin là. Se avessimo aspettato che Pau Amma fosse uscito dal Pusat Tasek e ritornato a casa, l'acqua ci avrebbe portati da sè.

– Tu sei pigro, – disse il vecchissimo Mago, – così i tuoi figli saranno pigri. E saranno i più pigri abitanti del mondo. Essi si chiameranno i Malesi, la gente pigra. E levò il dito alla luna e disse:

– O pescatore, ecco un uomo troppo pigro per remare fino a casa. Tira la piroga con la tua lenza, o pescatore!

– No, – disse l'uomo. – Se io devo rimaner pigro per tutta la vita, fa che il mare lavori per me due volte al giorno in perpetuo. Mi risparmierà di remare.

E il vecchissimo Mago rise e disse:

– Payah kun (Va bene).

E il sorcio della luna cessò dal rodere la lenza, e il pescatore abbassò la lenza finchè raggiunse l'acqua, e tirò con essa tutto il profondo mare, fino oltre l'isola di Bintang, fin oltre Singapore, oltre Malacca, oltre Selangor, finchè la piroga arrivò di nuovo alla foce del fiume Perak.

– Kun? – disse il pescatore della luna.

– Payah kun, – disse il vecchissimo Mago. – Bada ora a tirare il mare due volte il giorno e due volte la notte per sempre; così che i pescatori non abbiano bisogno di remare. Ma bada a non tirar troppo forte o io farò un incantesimo per te, come per Pau Amma.

Allora essi andarono sul fiume Perak e andarono a letto.

Ora, attenzione!

Da quel giorno a oggi, la luna ha sempre tirato il mare su e giù, e ha fatto ciò che noi chiamiamo la marea. Qualche volta il pescatore del mare tira un po' troppo forte, e allora abbiamo l'alta marea; e qualche volta tira più piano, e allora abbiamo ciò che si chiama la bassa marea; ma quasi sempre sta attento a non tirar troppo forte per paura del vecchissimo Mago.

E Pau Amma? Voi potete vedere, quando andate al mare, come tutti i piccoli di Pau Amma facciano da sè i piccoli Pusat Tasek sotto ogni pietra e ogni ciuffo di erba sulla sabbia; voi potete vederli agitare le loro piccole cesoie; e in alcune parti del mondo essi veramente vivono sulla terra secca e corrono sulle palme e mangiano noci di cocco, esattamente come la donna-figliuola promise. Ma una volta all'anno tutti i Pau Amma debbono cavarsi la corazza ed esser molli... per ricordarsi di ciò che il vecchissimo Mago può fare. E così non è bello uccidere o andare a caccia dei piccoli Pau Amma, soltanto perchè il vecchio Pau Amma si comportò male in tempi remotissimi. E ai piccoli di Pau

Amma non piace d'essere strappati dai loro piccoli Pusat Tasek e portati via nei panierini. E vi sta bene, se v'afferrano con le loro cesoie.

IL GATTO CHE SE N'ANDAVA SOLO

Sentite ciò che avvenne quando tutti gli animali domestici erano selvaggi. Il cane era selvaggio, e il cavallo era selvaggio e il bue era selvaggio e la pecora era selvaggia, e il porco era selvaggio – quanto più poteva selvaggio – e se n'andavano per foreste selvagge e umide nella loro solitudine selvaggia. Ma il più selvaggio di tutti questi animali selvaggi era il gatto, che se n'andava per conto suo, e tutti i luoghi gli erano eguali.

Naturalmente anche l'uomo era selvaggio, spaventosamente selvaggio. Non cominciò ad addomesticarsi che quando incontrò la donna che gli disse che non le piaceva quella sua vita così selvaggia. Essa scelse una bella caverna asciutta, sparse della sabbia pulita sul suolo, accese un bel fuoco di legna, appese una pelle secca di cavallo selvaggio, a coda in giù, a traverso l'apertura della caverna, e disse: "Asciugati i piedi, quando entri, chè ora abbiamo messo su casa".

Quella sera essi mangiarono carne di pecora selvaggia arrostita sulle pietre roventi, e condita d'aglio selvaggio e ripiena di riso selvaggio e di fiengreco selvaggio e di coriandoli selvaggi; e ossa midollose di manzo selvaggio, e ciliege selvagge e granadiglie selvagge. L'uomo andò a dormire accanto al fuoco, sentendosi felice; la donna rimase in piedi a pettinarsi. Prese l'osso d'una spalla di montone e osservò gli strani segni che v'erano incisi, e gettò altre legna sul fuoco, e fece un incantesimo, il primo incantesimo sulla terra.

Fuori, nelle foreste umide e selvagge, donde si poteva vedere di lontano la luce del fuoco, si raccolsero tutti gli animali selvaggi, e si chiedevan che fosse.

Allora il cavallo selvaggio pestò gli zoccoli selvaggi e disse:

– O miei amici e miei nemici, perchè l'uomo e la donna hanno fatto quella gran luce in quella gran caverna e che vogliono farci?

Il cane selvaggio sollevò il naso selvaggio e fiutando odore di montone arrostito, disse:

– Andrò a vedere e osservare, e saprò; perchè mi sembra un'ottima cosa. Gatto, vieni con me.

– Cucù! – disse il gatto. – Io sono il gatto che se ne va solo, e tutti i luoghi mi sono uguali. Io non vengo.

– Allora non possiamo essere amici, – disse il cane selvaggio, e trotterellò verso la caverna.

Quando il cane selvaggio arrivò all'ingresso della caverna, sollevò la pelle secca di cavallo col naso e fiutò il buono odore dell'arrosto di montone, e la donna, guardando la scapola, lo sentì, e rise, e disse:

– Ecco il primo. Animale selvaggio delle foreste selvagge, che vuoi?

Il cane selvaggio disse:

– O mia nemica e moglie del mio nemico, di che cosa è questo buon odore nelle foreste selvagge? – Allora la donna raccolse un osso del montone arrostito e lo gettò al cane selvaggio, e disse:

– Animale selvaggio, uscito dalle foreste selvagge, prendi per assaggiare.

Il cane selvaggio addentò l'osso, che gli parve il più delizioso di quanti cibi avesse mai assaggiati, e disse:

– O mia nemica e moglie del mio nemico, dammene un altro.

La donna disse:

– Animale selvaggio, uscito dalle foreste selvagge, aiuta il mio uomo a caccia durante il giorno e guarda questa caverna durante la notte, e avrai tutte le ossa arrosto che vorrai.

– Ah! – disse il gatto, sentendo questo, – la donna è molto astuta, ma io son più astuto di lei.

Il cane selvaggio si fece avanti nella caverna e andò a mettere la testa in grembo alla donna, dicendo:

– O mia amica e moglie del mio amico, aiuterò il tuo uomo a caccia il giorno e la notte guarderò la vostra caverna.

– Ah! – disse il gatto. – Che stupidissimo cane!

E se ne ritornò nelle foreste selvagge agitando la coda, e camminando per conto suo. E non disse nulla a nessuno.

Quando l'uomo si levò disse:

– Che fa qui questo cane selvaggio?

E la donna disse:

– Non si chiama più cane selvaggio, ma il primo amico, perchè sarà nostro amico sempre, sempre e sempre. Conducilo con te quando vai a caccia.

La sera appresso la donna tagliò delle grandi bracciate di erba fresca sui prati, e l'asciugò innanzi al fuoco, così che odorava come fieno falciato allora, e si sedè all'ingresso della caverna; tagliò una lunga striscia dalla pelle di cavallo, guardò la scapola del montone e fece un incantesimo, il secondo incantesimo sulla terra.

Fuori nelle foreste selvagge tutti gli animali si domandavano che ne fosse del cane selvaggio, e finalmente il cavallo selvaggio scalpitò e disse

– Andrò io a vedere perchè non è ritornato il cane selvaggio. Gatto, vieni con me.

– Cucù! – disse il gatto. – Io sono il gatto che se ne va solo, e tutti i luoghi mi sono eguali. Non vengo.

Ma cautamente, molto cautamente, seguì il cavallo selvaggio, e si nascose dove poteva udir tutto.

Quando la donna vide il cavallo correre e impigliarsi nella lunga criniera, rise e disse:

– Ecco il secondo. Animale selvaggio, uscito dalle foreste selvagge, che vuoi?

Il cavallo selvaggio disse:

– O mia nemica e moglie del mio nemico, dov'è il cane selvaggio?

La donna rise, prese la scapola, l'osservò e disse:

– Animale selvaggio, venuto dalle foreste selvagge, tu non sei venuto qui per il cane selvaggio, ma per l'amore di questa buona erba.

E il cavallo selvaggio, scalpitando e inciampando nella lunga criniera, disse – È vero, dammi da mangiare.

La donna disse:

– Animale selvaggio, venuto dalle foreste selvagge, china la testa selvaggia, e porta ciò che ti dò, e tu mangerai l'erba meravigliosa tre volte a giorno.

– Ah! – disse il gatto udendo questo, – la donna è astuta, ma io sono più astuto di lei!

Il cavallo selvaggio piegò la testa selvaggia, e la donna la strinse nella cavezza, e il cavallo selvaggio respirò ai piedi della donna, e disse:

– O mia padrona e moglie del mio padrone, io sarò tuo servitore per amore dell'erba meravigliosa.

– Ah! – disse il gatto, udendo questo, – che stupidissimo cavallo!

E se ne ritornò nelle foreste umide e selvagge, agitando la coda, e andandosene via solo per conto suo. Ma non disse nulla a nessuno. Quando l'uomo e il cane ritornarono dalla caccia, l'uomo disse:

– Che cosa fa qui il cavallo selvaggio?

E la donna disse:

– Non si chiama più cavallo selvaggio, ma il primo servitore perchè ci porterà sempre, sempre e sempre da una parte all'altra. Cavalcalo quando vai a caccia.

Il giorno appresso, tenendo la testa bassa perchè le corna non inceppassero negli alberi selvaggi, la vacca selvaggia si diresse alla caverna, e il gatto la seguì, e si nascose come aveva fatto le altre volte; e tutto andò come le altre volte; e il gatto disse le stesse cose delle altre volte; e quando la vacca selvaggia ebbe promesso di dare il suo latte alla donna ogni giorno in compenso dell'erba meravigliosa, il gatto se ne ritornò nelle foreste umide e selvagge, agitando la coda, camminando nella sua solitudine selvaggia, appunto come le altre volte. Ma non disse mai nulla a nessuno. E quando l'uomo, il cavallo e il cane tornarono a casa dalla caccia, e l'uomo fece le stesse domande delle altre volte, la donna disse:

– Non si chiama più vacca selvaggia, ma la dispensatrice di buon cibo. Essa ci darà il tepido latte sempre sempre e sempre, ed io l'accudirò mentre tu e il primo amico e il primo servitore andrete a caccia.

Il giorno appresso il gatto aspettò per vedere se qualche altro animale selvaggio si dirigesse alla Caverna, ma nessuno si mosse nelle foreste umide e selvagge; e allora egli vi andò solo, e vide la donna che mungeva la vacca, e vide la luce del fuoco nella caverna e odorò l'odore del latte bianco e caldo.

Il gatto disse:

– O mia nemica e moglie del mio nemico, dove è andata la vacca?

La donna rise e disse:

– Animale selvaggio, venuto dalle foreste selvagge, ritorna nelle foreste selvagge, perchè ho annodato i miei capelli e ho messo da parte la scapola magica, e non abbiamo più bisogno di amici e servitori nella Caverna.

Il gatto disse:

– Io non sono un amico e non sono un servo. Io sono il Gatto che se ne va solo, e desidero di venire nella caverna.

La donna disse:

– Allora perchè non venisti col primo amico la prima sera?

Il gatto s'adirò e disse:

– T'ha il cane selvaggio detto qualche cosa di me?

Allora la donna rise e disse:

– Tu sei il gatto che se ne va solo, e tutti i luoghi ti sono eguali. Tu non sei nè un amico nè un servo. L'hai detto tu stesso. Va via, e cammina da te indifferentemente in tutti i luoghi.

Il gatto finse di essere triste e disse:

– Non debbo entrar mai nella caverna? Non debbo mai sedermi accanto al fuoco? Non debbo bere mai il caldo e bianco latte? Tu sei molto savia e molto bella. Non dovresti essere crudele neanche con un gatto.

La donna disse:

– Io sapevo d'essere savia, ma non sapevo d'esser bella. Così io farò con te un patto. Se io dico in tua lode una parola, tu puoi entrare nella caverna.

– E se ne dici due, di parole? – disse il gatto.

– Non le dirò mai, ma se ne dico due, puoi sedere accanto al fuoco nella caverna.

– E se ne dici tre? – disse il gatto.

– Non le dirò mai, ma se dico tre parole in tua lode, puoi bere il latte tre volte al giorno.

Allora il gatto inarcò il dorso e disse:

– Ora lascia la cortina all'ingresso della caverna, e il fuoco in fondo alla caverna, e il vaso del latte che sta accanto al fuoco, e ricorda ciò che ha detto la mia nemica e la moglie del mio nemico.

E se ne andò attraverso le foreste umide e selvagge, agitando la coda selvaggia e camminando selvaggiamente solo.

Quella sera quando l'uomo e il cavallo tornarono a casa dalla caccia, la donna tacque del patto stretto col gatto, perchè temeva che loro potesse dispiacere.

Il gatto andò lontano, molto lontano, e si nascose nelle foreste umide e selvagge nella sua solitudine selvaggia, per lungo tempo, finchè la donna dimenticò tutto di lui. Soltanto il pipistrello, il piccolo pipistrello che dormiva a testa in giù nella caverna, sapeva dove il gatto si nascondeva; e ogni sera il pipistrello se n'andava, volando, dal gatto, a informarlo di ciò che accadeva. Una sera il pipistrello disse:

– V'è un bambino nella caverna. È nuovo e roseo e grasso e piccino, e la donna lo ama molto.

– Ah! – disse il gatto udendo questo; – ma al bambino che cosa piace?

– Gli piace d'esser trastullato – disse il pipistrello. – E gli piace tutto.

– Ah! – disse il gatto. – Questo è il tempo.

La sera appresso il gatto traversò le foreste umide e selvagge e se ne stette nascosto presso la caverna fino all'alba, e l'uomo e il cane e il cavallo uscirono a caccia. La donna era affaccendata a cucinare quella mattina, e il bambino piangeva e la interrompeva. Così lo portò fuori dalla caverna e gli diede una manata di sassolini perchè si trastullasse. Ma il bambino continuava a piangere.

Allora il gatto sporse la zampa inguantata ed accarezzò il piccino sulla guancia, e quegli rideva. Il gatto si strofinò contro le grasse ginocchia del bambino, vellicandogli il mento con la coda e quegli rideva; e la donna udiva e sorrideva. Allora il pipistrello disse:

– O mia ospite e moglie del mio ospite e madre del figlio del mio ospite, un animale selvaggio venuto dalle foreste selvagge giuoca col tuo bambino.

– Benedetto l'animale selvaggio, chiunque sia! – disse la donna, premendosi il dorso – perchè questa mattina ebbi molto da fare ed esso m'ha reso un servizio.

In quello stesso minuto e in quello stesso secondo, la cortina di pelle secca di cavallo, messa a coda in giù a traverso l'ingresso della caverna, cadde a un tratto al suolo, forse perchè ricordava il patto fatto dalla donna col gatto; e quando la donna andò a raccoglierla, vide il gatto seduto a tutto suo agio nella caverna.

– O mia nemica e moglie del mio nemico e madre del mio nemico, – disse il gatto, – sono io. Tu dicesti una parola in mia lode, ed io posso stare nella caverna per sempre, sempre e sempre. Pure io sono il gatto che se ne va solo, e tutti i luoghi gli sono eguali.

La donna si sentì presa da una gran collera, ma si chiuse le labbra, e prese la conocchia e si mise a filare.

Ma il bambino piangeva, ed era diventato paonazzo perchè il gatto se n'era andato, e la donna non sapeva farlo tacere.

– O mia nemica e moglie del mio nemico e madre del mio nemico, – disse il gatto, – prendi un po' del filo che hai filato e legalo al fuso con un sassolino, e trascinalo sul pavimento ed io ti mostrerò un giuoco che divertirà tanto il bimbo.

– Lo farò, – disse la donna, – perchè non ne posso più; ma non te ne sarò grata.

Così legò il filo con un sassolino al fuso, e lo tirò sul pavimento, e il gatto corse dietro al sassolino e lo carezzò con la zampa, e se lo fece rotolare di sotto, e lo inseguì tra le gambe posteriori e finse di perderlo, e poi a un tratto lo riprese con un balzo, e il bambino rideva, rideva, e si sforzava di afferrare il gatto, andando carponi sul suolo della caverna, finchè si sentì stanco e si sdraiò per dormire col gatto fra le braccia.

– Ora, – disse il gatto, – canterò al bambino una canzone che lo terrà addormentato per un'ora. – E cominciò a far le fusa in tono alto e basso, basso e alto, finché il bambino s'addormentò. La donna sorrise, guardandoli entrambi, e disse: – Ti sei condotto a meraviglia. Non c'è dubbio, tu sei molto abile, o gatto.

In quello stesso minuto e in quello stesso secondo, cari miei, il fumo del fuoco nel fondo della caverna discese a nuvole dal tetto – puff! – perchè ricordava il patto ch'era stato fatto col gatto; e quando svanì il gatto s'era seduto a tutto suo agio accanto al fuoco.

– O mia nemica e moglie del mio nemico e madre del mio nemico, – disse il gatto, – sono io; giacchè tu hai detto una seconda parola in mia lode, io posso sedermi accanto al fuoco nel fondo della caverna per sempre, sempre e sempre. Pure io sono ancora il gatto che se ne va solo e tutti i luoghi gli sono eguali.

Allora la donna si mostrò molto, molto inquieta e si lasciò cader le trecce sulle spalle e mise altre legna sul fuoco e, ripresa la larga e grossa scapola di montone, cominciò a fare un incantesimo che le impedisse di dire una terza parola in lode del gatto. Era un incantesimo tranquillo e la caverna era diventata così tranquilla che un grazioso e piccolo topolino spuntò da un angolo e traversò il pavimento.

– O mia nemica e moglie del mio nemico, – disse il gatto, – quel topolino fa forse parte del tuo incantesimo?

– Uh! no, no! – disse la donna, facendo cadere la scapola e saltando sullo sgabello accanto al fuoco, reggendosi le trecce per paura che il topolino vi si aggrappasse.

– Ah! disse il gatto, in atteggiamento di vigilanza, – allora il topo non mi farà male, se lo mangio?

– Ah! – disse la donna reggendosi i capelli, – mangialo immediatamente e io te ne sarò grata.

Il gatto diede un balzo e acchiappò il topolino, e la donna disse:

– Mille grazie. Neanche il primo amico è così svelto. Tu sei molto saggio.

In quello stesso minuto e in quello stesso secondo, cari miei, il vaso di latte che stava accanto al fuoco si fece in due pezzi – ffft! – perchè ricordava il patto fatto col gatto; e quando la donna discese dallo sgabello, il gatto se ne stava tranquillamente a lambire il latte caldo e bianco, rimasto nel fondo rotto del vaso.

– O mia nemica e moglie del mio nemico e madre del mio nemico, – disse il gatto, – sono io. Giacchè hai detto tre parole in mia lode, io posso bere il latte bianco e caldo tre volte al giorno per sempre, sempre e sempre. Pure io sono ancora il gatto che se ne va solo, e tutti i luoghi gli sono eguali.

Allora la donna rise e diede al gatto una scodella del latte caldo e bianco e disse:

– O gatto, tu sei abile quanto un uomo; ma ricordati che il tuo patto non fu fatto con l'uomo e col cane, ed io non so che faranno essi al loro ritorno.

– Che m'importa? – disse il gatto. – Se io ho il mio posto accanto al fuoco nella caverna e il mio latte caldo e bianco per tre volte al giorno, non mi curo di ciò che diranno l'uomo e il cane.

Quella sera, quando l'uomo e il cane ritornarono alla caverna, la donna narrò loro del patto, mentre il gatto sedeva accanto al fuoco e sorrideva. Allora l'uomo disse:

– Sì, ma egli non ha fatto un contratto con me e con tutti gli uomini dopo di me.

Allora si cavò gli stivali e prese la piccola accetta di pietra (che fa tre); prese anche un pezzo di legno e un'ascia (che in totale fa cinque) e li mise in fila, dicendo:

– Ora faremo il nostro patto. Se non acchiappi i sorci quando sarai nella caverna, ti getterò appresso questi cinque oggetti quando ti vedrò, e così faranno tutti gli uomini dopo di me.

– Ah! – disse la donna, – il gatto è molto abile, ma non quanto il mio uomo.

Il gatto contò i cinque oggetti (che avevano un aspetto molto bitorzoluto) e disse

– Acchiapperò i sorci sempre, quando sarò nella caverna; pure sono ancora il gatto che se ne va solo, e fa lo stesso conto di tutti i luoghi.

– Non quando io ti son vicino, – disse l'uomo. – Se tu non avessi detto quest'ultima parola, io avrei messo da parte tutte queste cose per sempre, sempre e sempre; ma ora ti getterò dietro gli stivali e la piccola accetta di pietra (che fa tre) tutte le volte che t'incontrerò. E così tutti gli uomini dopo di me.

Allora il cane disse:

– Aspetta un minuto. Egli con me non ha fatto patti e neanche con tutti i cani dopo di me.

E mise in mostra i denti e disse:

– Se tu non sarai sempre cortese col bambino mentre io sarò nella caverna, ti correrò dietro finchè ti acchiapperò, e quando ti avrò acchiappato ti morderò e ti perseguiterò sugli alberi quante volte ti incontrerò. E così tutti i cani dopo di me.

– Ah! – disse la donna ascoltando, – il gatto è molto abile, ma non quanto il cane.

Il gatto contò i denti del cane (apparivano molto aguzzi), e disse:

– Sarò gentile col bambino mentre sono nella caverna, finchè non mi tiri la coda troppo forte, per sempre, sempre e sempre. Pure sono ancora il gatto che se ne va solo e tutti i luoghi gli sono uguali.

– Non quando ti son vicino – gli disse il cane. – Se tu non avessi detto quest'ultima cosa, io mi sarei chiusa la bocca per sempre, sempre e sempre; ma ora ti caccerò su un albero quante volte t'incontrerò. E così faranno tutti i cani dopo di me.

Allora l'uomo tirò gli stivali e la piccola accetta di pietra (che fa tre) al gatto, e il gatto si slanciò fuori della caverna e il cane lo perseguitò su un albero; e da allora in poi, tre uomini su cinque, sempre tirano degli oggetti al gatto, quando lo incontrano, e tutti i cani a modo lo cacciano su un albero. Ma il gatto, da parte sua, mantiene il patto. Acchiappa i sorci, ed è gentile coi bambini quando è in casa, se non gli tirano la coda troppo forte. Ma quando ha fatto questo, e a intervalli, e quando spunta la luna e viene la notte, egli è il gatto che se ne va solo, e fa lo stesso conto di tutti i luoghi. Allora se ne va nelle foreste umide e selvagge o sugli alberi umidi e selvaggi o sui tetti umidi e selvaggi, agitando la coda selvaggia e camminando in solitudine selvaggia.

LA FARFALLA CHE BATTEVA IL PIEDE

Questa è una storia – una nuova e meravigliosa storia – una storia assolutamente diversa dalle altre storie. Una storia intorno al sapientissimo sovrano Suleiman-bin-Daud: Salomone figlio di David.

Vi sono trecentocinquantacinque storie intorno a Suleiman-bin-Daud; ma questa non è di quelle. Non è la storia dell'airone che trovò l'acqua, o dell'upupa che riparò dal caldo Suleiman-bin-Daud. Non è la storia del pavimento di cristallo, o del rubino col buco storto, o delle verghe d'oro della regina Balkis. È la storia della farfalla che batteva il piede.

Ora, un momento d'attenzione.

Suleiman-bin-Daud era sapiente. Comprendeva ciò che dicevano le bestie, ciò che dicevano gli uccelli, ciò che dicevano i pesci, ciò che dicevano gl'insetti. Comprendeva ciò che dicevano le più profonde rocce sotterra, quando s'inchinavano l'una verso l'altra e gemevano; e comprendeva ciò che dicevano gli alberi quando bisbigliavano al primo fiato dell'alba. Comprendeva ogni cosa dall'alfa all'omega, e Balkis, la regina favorita, la bellissima regina Balkis, era quasi come lui saggia ed accorta.

Suleiman-bin-Daud era forte. Al medio della mano destra portava un anello. Quando gli faceva fare un giro, sbucavano dalla terra demoni e genî che eseguivano qualunque cosa egli comandasse; due giri, scendevano dal cielo le fate a fare qualunque cosa egli desiderasse; e tre giri, si presentava lo stesso possente angelo Asraele dalla gran spada, travestito da portatore d'acqua, a dargli le notizie dei tre mondi: su, giù e qui.

E pure Suleiman-bin-Daud non era vanitoso. Molto di rado ostentava la sua possanza, e dopo averlo fatto, se ne rammaricava. Una volta volle dar da mangiare in un giorno a tutti gli animali di tutto il mondo, ma non appena fu pronto il cibo, apparve dagli abissi del mare un animale che divorò in tre bocconi ciò che era preparato. Suleiman-bin-Daud ne fu molto sorpreso e disse:

– O animale, chi sei?

E l'animale disse:

– Salute in eterno, o re! Io sono il più piccolo di trentamila fratelli, e la nostra casa è nel fondo del mare. Noi abbiamo saputo che ti preparavi a dar da mangiare a tutti gli animali del mondo, e i miei fratelli mi hanno mandato a vedere se era pronto in tavola.

Suleiman-bin-Daud fu più sorpreso che mai e disse:

– O animale, hai mangiato tutto il desinare che avevo preparato per tutti gli animali del mondo.

E l'animale disse:

– O re, salute in eterno! Ma realmente tu chiami questo un desinare? In casa mia, ciascuno mangia due volte tanto per antipasto.

Allora Suleiman-bin-Daud cadde prono in terra e disse:

– O animale, io davo il pranzo per dimostrare che sono un re ricco e grande e non perchè io volevo essere il re degli animali. Ora sono rimasto scornato, e mi sta bene.

Suleiman-bin-Daud era veramente un saggissimo uomo, e dopo imparò che non bisogna mai vantarsi di nulla. Ed ora comincia la vera parte storica del mio racconto.

Egli aveva sposato moltissime mogli, novecentonovantanove mogli, oltre la bellissima Balkis; e tutte vivevano in un gran palazzo d'oro in mezzo a un magnifico giardino con laghetti zampillanti. In verità non aveva bisogno di novecentonovantanove mogli, ma in quei tempi tutti ne pigliavano molte, e naturalmente il re doveva sposarne di più, appunto per mostrare d'essere re.

Alcune mogli erano belle, ma altre erano semplicemente orride, e le orride s'azzuffavano con le belle, riducendole anch'esse orride e poi tutte cercavan mille pretesti per azzuffarsi con Suleiman-bin-Daud, e questo era orrido per lui. Ma la bellissima Balkis non attaccava mai lite con Suleiman-bin-Daud: essa se ne rimaneva nel suo appartamento nel palazzo d'oro, o passeggiava nel giardino del palazzo, lo amava tanto ed era realmente dolente per lui.

Naturalmente, se egli avesse voluto far fare un giro all'anello sul dito ed evocare i genî e i demoni, avrebbe cambiate tutte quelle novecentonovantanove litigiose mogli in mule bianche del deserto o in levrieri o in semi di melagrana; ma Suleiman-bin-Daud pensava che sarebbe stata un'ostentazione. Così quando esse litigavano troppo ed erano sul punto d'azzuffarsi, egli se n'andava solo a passeggiare in una parte dei bei giardini del palazzo, desiderando di non essere mai nato.

Un giorno, dopo che esse erano state a litigare per tre settimane – tutte le novecentonovantanove mogli insieme – Suleiman-bin-Daud se ne uscì, come al solito, in cerca di pace e di quiete; e fra gli alberi d'arancio incontrò la bellissima Balkis, molto afflitta per la tristezza di Suleiman-bin-Daud. Ed essa gli disse:

– O mio signore e luce dei miei occhi, gira l'anello sul dito e mostra a queste regine di Egitto e di Mesopotamia e di Persia e di Cina che sei re grande e terribile.

Ma Suleiman-bin-Daud scosse la testa e disse:

– O mia signora e delizia della mia vita, ricorda l'animale che sorse dal mare e mi fece diventare rosso dalla vergogna innanzi a tutti gli animali del mondo per la mia vanità. Ora, se io volessi mostrare la mia possanza a queste regine di Persia e d'Egitto e d'Abissinia e di Cina, soltanto perchè mi rattristano, potrei rimanere scornato peggio di quella volta.

E la bellissima Balkis disse:

– O mio signore e tesoro della mia anima, che farai?

E Suleiman-bin-Daud disse:

– O mia signora e gioia del mio cuore, continuerò a sopportare il mio destino nelle mani di queste novecentonovantanove regine che mi tormentano con le loro continue querele.

Così continuò la sua passeggiata fra i gigli, le rose, le canne, le piante di zenzero che crescevano nel giardino, finchè arrivò al grande albero di canfora, che era chiamato l'Albero di Canfora di Suleiman-bin-Daud. Ma Balkis si nascose fra le alte iridi e i bambù picchiettati e i gigli rossi dietro l'albero di canfora, così da esser vicino al suo fedele amore, Suleiman-bin-Daud.

A un tratto due farfalle volarono sotto l'albero, querelandosi.

Suleiman-bin-Daud udì che l'una diceva all'altra: "Ed hai tanto ardire da parlarmi in questa maniera? Non sai che se io battessi il piede tutto il palazzo di Suleiman-bin-Daud e questo giardino svanirebbero immediatamente in un rimbombo di tuono?"

Allora Suleiman-bin-Daud dimenticò le sue novecentonovantanove fastidiose mogli, e rise. Persino l'albero di canfora si scosse alla millanteria della farfalla. E Suleiman-bin-Daud levò l'indice e disse:

– Piccina, vieni qui.

La farfalla ebbe un gran spavento; pure s'arrischiò a volare fino alla mano di Suleiman-bin-Daud, e vi si tenne stretta, sventagliandosi. Suleiman-bin-Daud chinò la testa e le bisbigliò dolcemente:

– Piccina, tu sai che battendo un piede non piegheresti un filo d'erba. Perchè snoccioli a tua moglie una bugia così grossa? Poichè senza dubbio quella dev'essere tua moglie.

La farfalla fissò in viso Suleiman-bin-Daud e vide gli occhi del sapientissimo re scintillare come stelle in una notte invernale. Prese il coraggio con ambo le mani, chinò la testa da un lato, e disse:

– O re, salute in eterno! Essa è mia moglie e tu sai che cosa sono le mogli.

Suleiman-bin-Daud sorrise nella barba e disse:

– Sì, lo so, piccina mia.

– In una maniera o nell'altra bisogna tenerle a posto – disse la farfalla. – Essa tutta la mattina con me non ha fatto che litigare. Ho detto così per farla tacere.

E Suleiman-bin-Daud disse:

– Speriamo che si calmi. Ritorna a tua moglie, e senti ciò che dice.

Rivolò la farfalla alla moglie, che era tutta in agitazione dietro una foglia. La moglie disse:

– Egli ti ha sentito ! Suleiman-bin-Daud ti ha sentito!

– M'ha sentito, – disse la farfalla. – Sicuro che mi ha sentito. Io volevo appunto che mi sentisse.

– E che ha detto? Che ha detto?

– Bene, – disse la farfalla, sventagliandosi con molta gravità, – te lo dico in confidenza, cara mia: naturalmente io non lo biasimo, perchè il palazzo dev'essergli costato molto e le arance sono in maturazione; egli mi ha pregato di non battere il piede, e io gli ho promesso di non farlo.

– Bellissimo, – disse la moglie, – e stette queta; ma Suleiman-bin-Daud rise fino alle lacrime per la sfrontatezza della piccola farfalla.

La bellissima Balkis se ne stava dietro l'albero fra i gigli rossi e sorrise fra sè, perchè aveva udito tutto, lieta del colloquio. Pensava: "Se io sono saggia, posso ancora salvare il mio signore dalla persecuzione delle regine litigiose"; e sporse l'indice e bisbigliò alla moglie della farfalla:

– Piccina, vieni qui.

Volò la moglie della farfalla, molto impaurita, e si aggrappò alla bianca mano di Balkis: Balkis chinò la bella testa e sussurrò:

– Piccina, credi a ciò che ha detto tuo marito?

La moglie della farfalla fissò in viso Balkis e vide gli occhi della bellissima regina splendere come profondi laghetti raggianti di luce stellare, raccolse il suo coraggio a due ali e disse:

– O regina, sii amabile in eterno. Tu sai che cosa sono gli uomini.

E la Regina Balkis, la saggia Balkis di Saba si mise la mano alle labbra per nascondere un sorriso, e disse:

– Cara sorella, lo so.

– Essi s'adirano, – disse la moglie della farfalla, sventagliandosi rapidamente, – s'adirano per un nonnulla. Ma noi dobbiamo lasciarli fare, o regina. Non pensano la metà di ciò che dicono. Se fa comodo a mio marito di credere che io creda che egli possa, battendo il piede, far sparire il palazzo di Suleiman-bin-Daud, non m'importa un bel nulla. Domani egli avrà dimenticato tutto.

– Cara sorella, – disse Balkis, – tu hai ragione; ma quando un'altra volta egli comincia a millantarsi, prendilo in parola. Digli di battere il piede, e vedi ciò che accadrà. Noi sappiamo che cosa sono gli uomini, non è vero? Sarà una bella vergogna per lui.

La moglie della farfalla ritornò dal marito, e dopo cinque minuti essi stavano a bisticciarsi peggio che mai.

– Ricordati, – diceva il marito, – ricordati ciò che posso fare, se batto il piede.

– Non ti credo niente affatto, – diceva la moglie. – Vorrei vederlo. Su, batti il piede.

– Io promisi a Suleiman-bin-Daud di non farlo, – diceva il marito, – e voglio mantenere la promessa.

– È inutile, – diceva sua moglie. – Tu non potresti piegare un filo d'erba battendo il piede. Ti sfido a farlo. Su, batti il piede, battilo, battilo!

Suleiman-bin-Daud, seduto sotto l'albero di canfora, udiva ogni parola e rideva come non aveva mai riso in vita sua. Dimenticò tutte le regine; dimenticò l'animale che era emerso dal mare, dimenticò ogni suo proponimento. Rise di gioia, e Balkis, dall'altro lato dell'albero, sorrideva perchè il suo caro amore appariva così allegro.

A un tratto, la farfalla, in gran concitazione, ritornò, con rapido volo, all'ombra dell'albero di canfora, e disse a Suleiman-bin-Daud:

– Essa vuole che io batta il piede; vuol vedere ciò che accadrà, o Suleiman-bin-Daud. Tu sai che non posso farlo, ed essa non crederà più una parola di ciò che dico. Sarò suo zimbello per tutta la vita.

– No, cara piccina, – disse Suleiman-bin-Daud, – non riderà più di te. E all'anello fece fare un giro sul dito – solo per amor della farfalla, non per vanagloria – ed ecco quattro grossi genî sbucar dalla terra!

– Schiavi! – disse Suleiman-bin-Daud, – quando questo signore sul mio dito (come sapete vi era seduto l'insistente maschio della farfalla) batte il piede sinistro anteriore, farete in un colpo di tuono sparire il mio palazzo e questi giardini. Quando lo batte di nuovo li rimetterete diligentemente a posto. Ora, caro fratello, – aggiunse, – rivà da tua moglie e batti il piede a tuo piacere.

Ritornò la farfalla da sua moglie, la quale intanto urlava: – Ti sfido a farlo! Ti sfido a farlo! Batti il piede! Battilo ora! Battilo!

Balkis vide i quattro grandi genî chinarsi ai quattro angoli dei giardini col palazzo nel centro, battè pianamente le mani e disse:

– Finalmente Suleiman-bin-Daud farà per l'amor di una farfalla ciò che avrebbe dovuto fare da lungo tempo per suo proprio amore; e le litigiose regine ne saranno atterrite!

Allora il maschio della farfalla battè il piede. I genî scagliarono il palazzo e i giardini in aria, un migliaio di miglia lontano; s'udì uno spaventoso scoppio di tuono, e tutto diventò orribilmente nero. La moglie della farfalla fuggì nel buio, gridando:

– Oh, sii buono! Son pentita d'aver parlato. Riporta indietro i giardini, non ti contrarierò più.

Il marito era spaventato quasi quanto sua moglie, e Suleiman-bin-Daud rideva tanto che ci vollero parecchi minuti prima che trovasse fiato abbastanza da sussurrare alla farfalla:

– Batti di nuovo il piede, cara. Restituiscimi il palazzo, sapientissimo mago.

– Sì, restituiscigli il palazzo – diceva la moglie della farfalla, volando nella tenebra. – Restituiscigli il palazzo, e non tentar mai mai più un così orribile incantesimo.

– Bene, cara mia, – diceva il marito, col maggior coraggio che poteva – vedi a che cosa m'ha condotto il tuo capriccio. Naturalmente, per me è indifferente; io sono abituato a questi giuochi; ma per fare un favore a te e a Suleiman-bin-Daud, accondiscendo a metter tutto a posto.

Così battè il piede di nuovo, e in quell'istante i genî riportarono al posto il palazzo e i giardini, senza neanche un urto. Il sole splendeva sulle verdi foglie degli aranci; le fontane zampillavano fra i rosei gigli egiziani; gli uccelli ripresero a cantare e la moglie della farfalla si poggiava sul fianco sotto l'albero di canfora, spaurita e palpitante.

– Oh, sarò buona; sarò buona!

Suleiman-bin-Daud poteva appena parlare dal troppo ridere. Si rovesciò indietro spossato e scosse tra i singulti il dito verso la farfalla e disse: "O potentissimo mago, a che giova ridarmi il palazzo, se mi fai morir dal ridere?"

Successe allora un tremendo rumore, perchè tutte le novecentonovantanove mogli erano corse fuori strillando e urlando e chiamando i loro bambini. Discendevano per il grande scalone di marmo verso la fontana, in dieci schiere di cento; e la saggissima Balkis andò loro incontro maestosamente dicendo:

– Che vi affanna, o regine?

Esse stavano sui gradini di marmo a gruppi di cento, e gridavano:

– Che ci affanna? Noi stavamo tranquillamente nel nostro palazzo d'oro, come è nostro costume, quando a un tratto il palazzo scomparve e ci trovammo nelle più dense tenebre, e genî e demoni sciamavano intorno. Ecco che cosa ci affanna, regina delle regine, e noi siamo straordinariamente affannate a cagione di questo affanno, perchè fu un affanno affannoso diverso da qualunque altro affanno.

Allora la bellissima regina, la dilettissima di Suleiman-bin-Daud, la regina di Sabia e Sebia dei fiumi dell'Oro del Sud, dal deserto di Ziun alle torri di Zimbabur, Balkis saggia quasi quanto lo stesso sapientissimo Suleiman-bin-Daud, disse:

– Non è nulla, o regine. Una farfalla s'è lagnata di sua moglie che si bisticciava con lui e il nostro signore Suleiman-bin-Daud ha voluto darle una lezione di prudenza di parola e di umiltà di contegno, perchè queste sono ritenute virtù fra le mogli delle farfalle.

Allora si fece avanti e parlò una regina egiziana – la figlia di un Faraone – e disse: – Il nostro palazzo non può essere divelto come una cipollina dalle radici per i begli occhi d'un piccolo insetto. No! Suleiman-bin-Daud dev'essere morto, e ciò che noi vedemmo era la terra che tuonava e s'ottenebrava alla notizia.

Allora Balkis fece un cenno alla regina senza guardarla e disse a lei e alle altre:

– Venite a vedere!

Esse discesero per i gradini di marmo, in gruppo di cento, e sotto l'albero di canfora, ancora spossato dalle risa, videro il sapientissimo Suleiman-bin-Daud dondolarsi con una farfalla sull'una e l'altra mano, e dire:

– O moglie dell'aereo mio fratello, ricordati d'ora in avanti di compiacere tuo marito in tutto, per non indurlo a battere di nuovo il piede; giacchè egli ha detto che è abituato a questo incantesimo, ed è un valentissimo mago, tale da trafugare lo stesso palazzo dello stesso Suleiman-bin-Daud. Andate in pace buona gente.

Ed egli baciò le due farfalle sulle ali, ed esse volarono lontano.

Allora tutte le regine, eccetto Balkis – la bellissima e splendidissima Balkis, che se ne stava da parte, sorridente – caddero prone al suolo, perchè pensavano: "Se questo avviene quando una farfalla è adirata con la moglie, che cosa sarà di noi che abbiamo tormentato il nostro re con i nostri discorsi imprudenti e le nostre rumorose querele di molti giorni?" Poi si avvolsero la testa nei veli, e con le mani alla bocca, quete come tanti topolini, se ne tornarono al palazzo in punta di piedi.

Allora Balkis – la bellissima ed eccellentissima Balkis – s'avanzò tra i gigli rossi all'ombra dell'albero di canfora e mise la mano sulla spalla di Suleiman-bin-Daud, dicendo:

– O mio signore e tesoro dell'anima mia, rallegrati, perchè noi abbiamo dato alle regine di Egitto e di Etiopia e di Abissinia e di Persia e di India e di Cina una grande e memorabile lezione.

E Suleiman-bin-Daud, che guardava ancora dietro alle farfalle, folleggianti nella luce del sole, disse:

– O mia signora e gioiello della mia felicità, quando è avvenuto quello che racconti? Io non ho fatto che scherzare con una farfalla dal momento che son disceso in giardino. – E disse a Balkis ciò che aveva fatto.

Balkis – la tenera e amabilissima Balkis – disse:

– O signore e regolatore della mia vita, io m'ero nascosta dietro l'albero di canfora, e vidi tutto. Fui io che dissi alla farfalla di chiedere al marito di battere il piede, perchè speravo che per amor dello scherzo il mio signore avrebbe fatto qualche grande incantesimo e che le regine lo avrebbero veduto e ne sarebbero rimaste spaventate.

E gli narrò ciò che le regine avevano detto e veduto e pensato.

Allora Suleiman-bin-Daud s'alzò dal suo posto sotto l'albero di canfora, e sporse le braccia e si rallegrò e disse:

– O mia signora e dolcezza dei giorni miei, sappi che se io avessi fatto un incantesimo contro le mie regine per orgoglio o per ira, come feci quel convito per tutti gli animali, certamente sarei stato punito della mia superbia. Feci l'incantesimo per scherzo e per l'amore di una piccola farfalla, ed ecco che esso m'ha liberato dai fastidii delle mie fastidiose mogli. Dimmi, perciò, o mia signora e cuore del mio cuore, come riuscisti ad esser così saggia?

E la regina Balkis, bella e altera, guardò negli occhi Suleiman-bin-Daud, e chinando la testa da un lato, appunto come la farfalla, disse:

– In primo luogo, o signore mio, perchè ti amo, e in secondo, o signore mio, perchè so ciò che sono le donne. – Allora essi se ne andarono nel palazzo e vissero felicemente d'allora in poi. Ma Balkis non si dimostrò veramente abile?

FINE.

Milton Keynes UK
Ingram Content Group UK Ltd.
UKHW032014240823
427419UK00011B/363